JOHN ARCOVIO

El Prólogo por T.W. Barnes

El arte de la portado heco por Nicolás LeGuern.

Todas las cotizaciones de la escritura son de la Versión de Rey de la Santa Biblia.

La Manera de la Águila por Rev. John Arcovio Publicado por el Espíritu Condujo Publicaciones ©1996

Imprimido en los Estados Unidos de América.
First printing March, 1996
ISBN 0-9647343-1-1

Para más información sobre otros materiales por John Arcovio, o para reordenar La Manera de la Águila, por favor contacta:

Spirit Led Ministries
5305 Pinecrest Ct.
Eureka, CA 95503-637
(707) 480-9188 209/475-0983

La Manera de la Águila: $9.00 cada uno (incluye el embarque) Pensamientos Desde Arriba, una serie de ocho cintas sobre la Operación de los Dones del Espíritu: $35.00 (incluyeel embarque)

Haga cheques pagables a: Spirit Led Ministries

TABLA DE MATERIAS

LOS RECONOCIMIENTOS

Se ha dicho que usted no encuentra las águilas en una bandada, pero más bien ellas se descubren una por una. Este libro se inspiró divinamente en el fin de un ayuno para fomentar a esos quien deseo las alturas de los sobrenaturales.

El Señor ha introducido, uno por uno, hombres y mujeres de Dios a mi ministerio quien me han ayudado y fomentado en buscar las alturas más altas y profundidades más profundas en Dios. Muchas veces estos alientos vinieron a un tiempo en mi vida cuando yo sentiá que yo fui todo solo en alcanzar hacia estas dimensiones más altas. En las situaciones similares, mucha gente sufren o han sufrido lo que nosotros podríamos llamar "Mentalidad Caverna" (lee I Reyes 19:1-8). Así como los ojos de Elias se abrieron, Dios había usado a estos hombres y mujeres de Dios para abrir a mis ojos a ver que yo no soy solo.
Los temas que se cubrirán son simplemente revelaciones divinos recibidos en tiempos de oracion y ayuno y de ser solo con Jesús y Su Palabra. También, mucha información que los gran hombres de Dios instilaron en mi vida de ministerio se darán. Es imposible mencionar todos de ellos, pero mis gracias salen a estos pocos quienes son excepcionales:

A mi madre estmada y dulce, Gayle Notgrass: Usted ha sido tal ejemplo en oración, ayuno, y ganar almas.

A mi pastor y padre en el Evangelio, el Rev. James Kilgore:

Gracias para comprender por medio del Espíritu que el Señor podría usar esta nadie quien era verdaderamente una embarcación rompida.

Al Rev. Lee Stoneking para la inspiración para ascender más alto y obtener un ministerio untado. Usted vino en un tiempo muy deseperado.

Al Rev. J.T. Pugh para su caudillaje y ejemplo Cristiano.
Al Rev. T.W. Barnes para el consejo y la sabiduría imprimido de Dios.

Al Rev. Jimmy Jones para ser el pastor original debajo quien yo fui bautizado y llenado con el Espíritu Santo.

A mi regalo especial de Dios: mi esposa, Andrea Arcovio. Gracias por venir a mi vida, y para su comprensión amoroso y simpático durante las muchas noches largas que yo he gastado en oración y estudio mientras recopilar este libro.

A Christina Kaliss en Eureka, California para sulabor generoso para escribir el borrador conscripción áspera de este Espano libro.

A Brent Regnart, para su trabajo editorial generoso y su espíritu excepcional.Este libro no habría sido completado sin usted.

Másque todo, a nuestro Salvador maravilloso y dulce, Jesús, por quien todas las cosas son posibles.

El Prólogo

Rev. John Arcovio, un hombre de mucha oración y el ayuno, se capacita bien para escribir este gran libro, La Manera de la Águila.

El poder de ayunar nos humilla antes de Dios y nos permite oír lo que nos dice el Espíritu y la iglesia. Después de ayunar es mucho más fácil para nosotros a orar la oración de fey remontar en los cielos como la águila. En este libro, él instruye que si ayunamos y oramos como deberíamos, Dios Sí mismo añadirá regalos a nuestras vidas como Él ve ajuste. Entonces podemos llegar a ser gran ministros y ganadores de almas en el Reino de Dios.

Gracias, Hermano John, para escribir este libro. Yo creo que este libro permitirá muchos a comprender este grande verdad mejor y llegar a ser águilas espirituales para Jesús.

Rev. T.W. Barnes

EL TEXTO DE Las Escrituras

" Hay tres cosas que son demasiado maravillosas para mí, sí, cuatro que no sé: *la manera de una águila.* .. "
(Proverbios 30:18-19).

EL CAPíTULO 1

EL AYUNO

"Pero ellos que esperan el Señor renovará su fortaleza; montarán arriba con alas como águilas;correrán, y no serán cansados; y caminarán, y sindesmayar"
(Isaías 40:31).

"Quien satisfica la boca con cosas buenas; para que la juventud se renueve como la de la la águila" (el Salmós 103:5).

"*Esperar* en Hebro original significa "ligar juntos, enredar, entretejer, o detenerse con expectación." *Renovar* enel Hebreo original significa "cambiar."

Las plumas de una águila vieja, en los años posteriores de su vida, se envejecen y moteadas y eventualmente comienzan a caer. Su pico se hace embotado y sus garras despuntados. Él no puede volar tan alto como antes, ni puede rasgar la presa con su pico o empuñar la presa con sus garras como antes. El instinto adentro de una águila lo dice volar alto en las montañas y encontrar una cueva donde él puede ser todo solo. Allí en esa cueva él comenzará a raspar sus plumas, el pico, y las garras sobre una roca hasta que son completamente rasguñados. Él también no come ni bebe agua, pero más bien ayuna. Es una experiencia muy dolorosa y llano. La águila simplemente espera, porque él sabepor el instinto que sus plumas, el pico, y las garras eventualmente crecerán hasta la normalidad. Cuando la águila emerge de su tiempo de esperar y se echa a sus alas para que véa todo el mundo, se ve como una águila joven y nuevecita. Entonces, él monta arriba por sus alas y vuela nuevamente a las alturas que él conocía antes!

Isaías y David los dos escribíeron debajo la comprensión untada de la Manera de la Águila. Cuando escojemos esperar al Señor en ayunar, despojamos los abatimientos de nuestra carne que nos pesa, así como la águila despoja a sus plumas, el pico, y las garras.

For tanto, viendo que somos también teniendo en derredor una nube de testigos tan grande,dejando todo él peso del cada pecado que nos rodea y deja que corramos con paciencia la carrera que nos está propuesta. (Hebreos 12:1).

En algún tiempo durante el sexto o séptimo día de ayunar, comenzamos a sentir las obras de la carne siendo reemplazadas por la fruta del Espíritu. Nuestra fortaleza espiritual, visión, y nuestro deseo llegan a ser renovado, y de nueva pasamos hasta la dimensión de cosas espirituales.

Daniel, cuando tenía aproximadamente noventa años, podría estar sentado y relajado, gustar de las victorias pasadas y el hecho que él era un hombre respetado y sabio. En vez, él volvió y colocó su cara como un soldado novato, eligiendo La Manera de la Águila. Su ayuna de 21 días era estuvo con respecto a la desesperación de la hora y la necesidad de la dirección de Dios. Para comenzar una obra nueva o entrar una dimensión nueva, Dios tener siempre ha llamado á esos quienes han pagado el precio. Cualquier dimensión o *obra nueva debe* precederse por ayuno. Muchas veces Dios puede llamar á usted en un ayuno largo. La razón tal vez no es evidente, pero puede ser usted que va a entrar en una dimensión nueva de Su Espíritu. El ayuno de Daniel, en Daniel 10, trajo la respuesta sobrenatural de los ángeles Gabriel y Miguel (los versos 4-13), y dirección para el futuro de Israel (versos 14-21).

Para el ayuno ser totalmente efectivo, es importante recordar a guardar los motivos porel ayuno puro. Isaías 58:6-7 contiene motivos excellentes para ayunar: ¿ No es antes el ayuno que he elegido? para desatar las ligaduras de impiedad (obras de la carne), para deshacer las cargas pesadas, y dejar ir libres a los quebrantados (cautiverio espiritual), y que rompa todo yugo (la enfermedad, enfermedad, etc.). No es que parta su pan con el hambriento (el ministerio de la Palabra), y que usted¿ traiga los pobres que son lanzados fuera a sus casas? cuando viere al desnudo, lo cubra; y ¿ no se esconda de su propia carne? (una carga cierta para alcanzar a todas las almas).

Cuando escogemos ayunar, nuestra carne y la de esos alrededor muchas veces harán todo lo que pueden hacer a desalentarnos. Podemos sentir como moribundo cuando el hecho es que en realidad ganamos la vida nueva.

Y decia a todos, Si alguno quiere venir en pos de mí, niégese á sí mismo, y tome su cruz cada dia, y sigame. Porque cualquiera que quisiere salvar su vida, la perderá: y cualquiera que perdiere su vida por causa de mí éste la salvará (Lucas 9:23-24).

Podemos sentir el dolor y la lucha mientras esperar el Señor en ayunar, pero al fin del ayuno, la fortaleza renovada, física y espiritual, devuelve en una porción doble. Isaías 58:8-9 dice,

... su salud se dejará ver puesto: y irá su justicia delante de usted, y la gloria del Señor será su retaguardia (originalmente significa *reunir hasta arriba*).

Entonces invocarás, y el Señor contesta; clamarás, y dirá, El Aquí Soy. ...

El deseo de librarnos de las obras de la carne y las maneras en que nos impide deben de ser tan grande que somos dispuestos a pagar el precio con ayunar. Mucha gente asume falsamente que el ayuno es un modo de torcer el brazo de Dios para ver cosas hecho en propia su manera. Pueden tener un deseo por un resultad cierto, y nunca realizar que este deseo no es el deseo de Dios. II Timoteo 1:9 nos muestra que Dios tiene el cianotipo de nuestras vidas completado desde el principio: "Que nos salvó, y llamó con vocación santa, no conforme á nuestras obras mas según el intento Su yo y gracia, la cual nos es dada en Cristo Jesús antes de los tiempos de los siglos." El ayuno *no cambia* á Dios, pero más bien i nos cambia a nosofros!

Pablo habla de dos leyes por cuales podemos vivir.

Y yo sé que en mí (es á saber, en mi carne) no mora el bien: porque tengo el querer; mas afectuar el bien, no lo alcan zo. Porque no hago el bien que quiero: mas el mal que no quiero; éste Y si hago lo que no quiero, ya no lo yo obro, sino el pecado que mora en mí. ... Porque en la ley de Dios según el hombre interior, me deleito: mas veo otra ley en mis miembros, que se rebela contra la ley de mi espíriu, y que me lleva cautivo á la ley del pecado que está en mis miembros. i miserable hombre de mí! ¿ quien me del cuerpo de esta muerte?
(Los Romanos 7:18-24).

Este grito desesperado de Pablo reflejó la ley Romana de ese tiempo. Si unhombre mataría á un otro hombre, el castigo sería atar el hombre muerto a su espalda y allá lo llevaría unas semanas. Este hombre se encontraría tan enfermo del cadáver oloroso y pútrido,que él rogaría a los espectadores lo tomar de él. Sin embargo, si alguien lo había jamás entregado del cadáver, aguella persona entonces se requeriría tener el hombre muerto atado a su espalda.

Debemos ser tan desesperados a estar librados de esta carne oloroso y la ley de pecado. La única manera a ser dado a la ley del Espíritu es ayunar.

Ahora pues, ninguna condenación hay para los que están en Cristo Jesús,
los que no andan conforme á la carne,mas conforme al espíritu. Porque la
ley del Espíritu de vida en Cristo Jesús me ha librado dela ley del pecado
y de la muerte (Romanos 8:1-2).

La pasión y el deseo de la carne para el pecado no se puede destruir. Puede ser subyugado sólo por eldeseo y gran pasión de la ley del Espíritu.

Los espíritus pueden ser lanzados por el poder del nombre de Jesús, pero esta carne con que unicamente puede ser repartido día por día.con ayuno y oración. El ayuno es al hombre espiritual lo que levantar los pesos es al hombre natural.

Somos seres humanos tripartitos en que estamos comprendido de mente, cuerpo, y espíritu hombre interior.

1 Tesalonicenses 5:23 dice, "y el Dios de paz nos santifique en todo; y oro Dios a que el espíritu y alma y cuerpo sea guardado entero sin reprensión para la venida de nuestro Señor Jesucristo ." Hebreos 4:12 nos dice,

Porque la palabra de Dios es viva y eficaz, y más penetrante que toda espada de dos filos; y que alcanza hasta partir el alma y aun el espíritu, y las coyunturas y tuétanos, y discierne los pensamientos y los intenciones del corazón.

Note "partir el alma y aun el espíritu" significa una diferencia entre los dos.

Cuando levantamos pesos, corremos, hacer el ejercicio, el

trotecorvo, y comer el alimento correcto, somos trabajando en el cuerpo o el hombre natural, y de resulta llegamos a ser fuerte físicamente.

Si leemos libros, estudiamos y aprendemos estamos aguzando la mente. Nuestra mente, o nuestra alma, está comprendido de nuestra voluntad, las emociones, y pensando.

Entonces tenemos nuestro hombre interior...quien somos en realidad. Nuestro hombre interior refleja el hombre cierto que somos. Aquel hombre interior dentro de nosotros es fortalecido unaicamente por el bautismo del Espíritu Santo y por ayunar y oración.

Podríamos levantar los pesos por un año y llegar a ser fuerte, y después parar de levantar los pesos para seis meses y perderíamos toda esa fortaleza. Nadie sería capaz a decir que habíamos levantado pesos antes.

Podríamos estudiar, leer libros y ganar conocimiento, pero si después de un poco de tiempo no usaríamos esa sabiduria lo perderíamos. Antes fui un dibujante estructural y diseñado edificios todo el día, pero ahora ne perdido la mayoría del conocimiento porque no lo he usado.

Pero si usted ayuna un día en el reino del Espíritu, si usted ora una hora, nunca está perdido. Está sellado para la eternidad, para siempre. II Corintios 4:17 dice, "Porque lo que al presente es momentáneo y leve de nuestra tribulación, obra un sobremanera altro y eterno peso de gloria."

Considere una libra de acero. Aguel libra de acero tiene el valor de más o menos diez dólares. Si lo vuelve en herraduras, entonces podría tener el valor de unos ciento dólares. Si vuelve la misma libra de acero en agujas, puede tener el valor de unos miles de dólares. Pero cambia aguella libra de acero hasta resortes espirales para los relojes y el ralor llega a ser diez a veinte mil dólares.

¿Cuánto de Dios en el reino del Espíritu deseamos,en realidad?

¿cuánto de la pasión tenemos para Él? ¿ y cuánto de nosotros mismos somos dispuestos a declarar para ayunar y oración?

Si aguzamos nuestro hombre espiritual, llegaremos a ser más fuerte en el espíritu. Cuando recibimos el bautismo del Espíritu Santo, nuestro hombre natural, nuestra mente, no esta transformada; nuestro cuerpo no es transformado. Tenemos el mismo conocimiento, la misma personalidad, las mismas emociones, somos la misma altura, tenemos el mismo color del pelo y del los ojos. Lo qué llega a ser transformado es nuestro espíritu. Y cuando escogemos La Manera de la Águila, nuestro natural hombre comienza a transformarse hasta la imagen de Dios.

Podemos llegar a ser fuerte o renovada como escribió Pablo en los Efesios 4:23, "Y á renovarse en el espíritu de su mente." El Griego original dice que para ser renovado en "el espíritu de la mente." Qué cosa bendecida para saber que podemos renovar nuestra fortaleza por el ayuno y oración, por esperar al Señor, por confiar en E'l y a garrarse bien la mano inmutable de E'l. O si podríamos dar nosotros mismos a la ley del Espíritu y ser libre de este hombre carnal, este cuerpo de muerte.

El balance para vivir en la ley del Espíritu no es carnalidad, pero más bien la Palabra de Dios. Encontramos que Podernos llegar a ser equilibrados en el Espíritu y en la verdad yllegar a ser poderosos. En la química hay dos elementos que son sumamente volátil y venenoso. Uno es sodio. Cuando usted deja caer el sodio en su forma más pura en un balde de agua, estallará. Entonces hay el cloro, que en una forma gaseosa es venenoso. Si usted pediría a un químico si usted puede fusionar estas sustancias sumamente volátiles, usted podría pensar que él diría, "Oh, no, no hace esto." Pero en vez usted encontraría que él simplemente sonreiría y decir, "Seguir adelante, porque cuando usted fusiona estas dos sustancias volátiles, ellos llegan a ser sal de la mesa o cloruro de sodio, la mera cosa que ponemos en nuestro alimento.

Juan 4:24 dice, ". .. y los que le adoran en espíritu y en verdadnecesario adoren." cuando nosotros tenemos solamente todo Espíritu, estallamos. Cuando tenemos solamente toda palabra, secamos. Cuando tenemos mezclado Espíritu y la verdad, crecemos hasta un hombre lleno. Pablo escribió una medida llena de vida en Efesios 3:17-19:

Que habite Cristo por la fe en sus corazones; para que usted, siendo arraigado
y fondado en amor, puede bien ser capaz a comprender con todos los santos cuál sea la anchura, y la longura, y la profundidad, y la altura; y conocer el amor de Cristo que excede á rodo conocimiento, para que sea lleno de toda
la plenitud de Dios.

En Ephesios 4:15 E'l dijo por "... hablar la verdad en amor, crezcamos en todas cosas, en aquel que es la cabeza, a saber, Christo." El balance del Espíritu es la Palabra de Dios que amaríamos a Su Palabra, y que buscaríamos a Su Palabra. Eso es la única manera para encontrar la untadura del Señor: dar a nosotros mismos a la Palabra de Dios y permitir que Su Palabra llega a ser escrito en los espíritus nuestros.

El Salmo 119 habla de la Palabra de Dios muchas veces. El versículo 9 pide, "¿Con que limpiará el joven su camino? Con guardar tu palabra." Versículo 58 dice, "Su guardar tu palabra supliqué de todo corazón: tenga misericordia de mí según Su palabra." Originalmente dijo,"Supliqúe su cara con todo mi corazón, favorézcame según Su Palabra."

¿ Como nos favorece Dios? Cuando Dios nos unta, es Su favor sobre nuestras vidas. *Favorecer* en el Hebreo original significa doblarse o rebajarse en la bondad a un inferior." O, qué cosa bendecida es cuando esperamos al Señor en ayunar y Le conseguimos. Sí, inferior nosotros somos. Somos nada sin Él. Todo lo que tenemos y todo lo que somos pertenece a Él. He encontrado muchas veces que las palabras débiles que pongo en papel durante el ministerio o las horas de ayuno o días de oración gasto unicamente subir a un por ciento de lo qué es necesario para ver hecho el trabajo. El Señor se rebaja en la bondad a este inferior y unta con Su favor y con el otro 99% de poder necesario para hacer el trabajo. ¡ Alabanza á Dios!

Si queremos resultados de Dios, debemos ayunar y orar hasta que hemos cruzado el punto de no regresar en la dimensión del Espíritu, hasta la dimensión desconocida de Su sobrenatural. Debemos escoger ser totalmente regido y conducido por el Espíritu de Dios.

Mientras que somos atado al reino natural de razonar, temer y duda, que recibiramos nada. Una vez que cruzamos hasta la dimensión de Su Espíritu y en Su presencia daremos cuenta las limitaciones de nuestra fe y llegamos a ser disponible a la operación de Su regalo hermoso de fe.

Si escogemos a quedarnos dispuesto a este reino humano, este reino terrestre, recibiremos nada. Debemos abandonar nosotros mismos a la dimensión de Su Espíritu. O, sí, debemos venir al lugar de impotencia total y dependencia Jesús o no veramos resultados de Dios.

Qué cosa hermosa totalmente depender de y tener confianza en Él. La canción dice, "Es tan querido confiar en Jesús, " y he encontrado que hay ningun otro en quien podemos confiar excepto Él.

La única manera podemos humillar nuestra carne y escapar dela ley de pecado es per el hábito de ayunar.

David escribió en el Salmo 35:13, "Mas yo, cuando ellos enfermaron, me vestí de saco: Me afligí mi alma con ayuno; y mi oración se revolvía en me seno." Gálatas 5:16-17 nos cuenta,

> Digo pues, anda en el Espíritu, y satisface la concupiscencia. Porque la carne codicia contra el Espíritu, y el Espíritu contra la carne: y estas cosas se oponen la un a la otra, para que no haga lo que qusiera. Mas si usted es guiado del Espíritu, no está bajo la ley.

Mucha gente sienten que son inútiles para romper la empuñadura del pecado. La ley de pecado agarra a ellos como un vicio.

En el verano del año 1992, tomé un viaje por los rápidos del Río Rogue en Oregon y allí ví a una águila pelada. Mientras que miré, águila descenso súbito y cogió en su garras un pescado del río. Aterrizó momentáneamente sobre una roca cercana, y pronto tomó vuelo. Gastó toda su fortaleza, todo lo que tuvo, sacudiendo sus alas, pero sólo rozó el superficie de agua por casi 200 yardas. ¿ Por qué? Porque la águila trataba de romper la ley de gravedad. Eventualmente, era capaz de remontar hasta en el cielo.

Una águila tiene nueve plumas sobre las extremidades de cada de sus alas. Estas dieciocho plumas de las extremidades de las alas pueden representar los nueve dones del Espíritu y las nueve de frutas del Espíritu. (Cubriremos esto además en el Capítulo 4.) Su cola tiene cinco plumas.

La águila golpe sus alas con todo lo que tiene para romper de la ley de gravedad. Pero una vez águila encuentra viento a una corriente de una corriente enorme de aire caliente que espirales vuele en arriba hasta el cielo para millas... puede extender sus alas, extender sus plumas de extremidad de ala, y coger la corriente. El viento causará un plumon espiralante sobre cada pluma y creará un cojín en que la águila puede flotar sin esfuerzo por horas.

Abriendo paso para entrar en el reino del Espíritu al principio parece muy difícil, muy tenár. El ayuno será tal pugna porque usted está golpeando sus alas espirituales con todo lo que usted tiene. Si para por simplemente un segundo, revolvería aterrizaje violento al terreno. Simplemente guardar seguir golpeando y simplemente continúa ayunar y ejercitar sus músculos espirituales. De repente el tiempo vendrá cuando usted romperá hasta el ptro lado y encontrará la corriente de Su Espíritu en donde es el resto y fortaleza y donde usted Lo puede confiar en Él y seguir el empiomar de Su Espíritu hasta que venga la próxima batalla.

II Corintios 4:17 dice, "Porque lo que al presente es momentáneo y leve de nuestra tribulación, nos obra un sobremanera alto y eterno peso de gloria" La pugna de un día de ayunar palidece en la comparación al los beneficios que recibimos en destruir las obras de la carne y someter nosotros mismos a la ley y la dirección del Espíritu.

I Corintios 10:13 nos cuenta,

No nos ha tomado tentación, sino humana; mas Dios, que no nos dejará

ser tentados más de lo que puede llerar; antes dará también juntamente con la tentación la salida, para la salida, para, que lo puede aguantar.

Cuando estamos contra la resistencia espiritual, podemos escoger la manera de ayunar. Cuando sabemos que hemos oído de Dios y que estamos en Su y voluntad, podemos permanecer fijo. Cuando estamos en la voluntad perfecta de Dios, podemos saber que el Señor nos contestará rapidamente, aun que parece como todo no está yendo bien.

Muchas veces experimentaremos resistencia severa apenas antes de encuentrar la voluntad perfecta de Dios o de recibir nuestra penetración. En Los Hechos 16:6-10, Pablo deseado ir a la región de Galatia, pero se prohibió el Espíritu Santo predicar la Palabra de Dios en Asia. Entonces él quiso ir a Bithynia pero el Espíritu lo dijo que irse no lo a. Entonces él tuvo una visión en que hombre desde Macedonia apareció y le dijo, "Venga y ayúda nos." La visión lo dio la promesa que era la voluntad de Dios que se vaya a Macedonia. Ahora, nosotros pensaríamos que con ellos siendo en la voluntad de Dios todo sería rosado. Pero encontramos en la carta de Pablo a la iglesia en Corinto su recuerdo de como "rosado" estuvo en la voluntad de Dios en Macedonia. Él dijo,

Porque aun, cuando vinimos á Macedonia, reposo tuvo nuestra carne; ningún antes, en todo fuimos atribulados; de fuera, cuestiones: de dentro, temores. Mas Dios, que consuela a los humildes,nos consoló con la venida de Tito

(II Corintios 7:5-6).

Nopodemos juzgar si estamos en la voluntad de Dios por la

facilidad de las circunstancias alrededor. La manera de la cruz es frecuentemente difícil, pero debemos ser consolados de qué Dios nos habló y por la dirección que estamos tomando. Predicar crucificado única mente viene de un hombre crucificado. Encontraremos que si colocamos nuestra cara hacia esa resistencia, el Señor nos dará la penetración espiritual.

Un día Chuck Yeager sujetó su casco, sabiendo que él iba a hacer algo que ningun hombre no había hecho nunca: romper la barrera de sónido. Muchos pilotos jóvenes habían perdido la vida en tratar de romper esta fuerza invisible que los resistió. Un piloto encontraría la barrera de sónido cuando su avión volaría en gran velocidad hasta el aire en frente del avión acumularía con tal fuerza contra la gallera, el vuelo, y la encabrita que la presión sería casi insufrible. Muchas veces los aviones vibrarían y eventualmente desintegrarían o los pilotos desmayarían de la presión y perderían sus vidas.

En este día Chuck Yeager determinó que él iba a romper la barrera de sónido. Cuando él ascendió en el cielo, él supo qué estaba esperándolo-aquella fuerza invisible, la resistencia invisible.

Él dijo que cuando ya no podría tomar la presión, cuando pensaba que su avión se destruiría y desintegrar, al momento que él pensaba que ya no podría tomar más, que oyó un auge ruidoso y entonces todo era quieto. Todo alrededor era tranquilo. Tomó unos pocos segundos para reunir sus pensamientos y de repente realizó lo qué había sucedido. ¡Él había roto la barrera de sónida! Y la fuerza invisible que lo había resistido ahora era detrás de él, empujándole cuando movió hasta dimensiones más grandes de velocidad.

En la presencia de la fortaleza espiritual en su ciudad, y su espíritu encuentra la dimensión espiritual y poder que trata de venir contra usted, dirigirse hacia ese alboroto. Cuando las cosas se sienten como si son a punto de desintegrar, délo un extra empuje más con ayunar y oración, y experimentará la penetración espiritual. Usted romperá la barrera del espíritu y la fuerza invisible que le resistió será detrás de usted, empujando a usted cuando entra dimensiones más altas del Espíritu.

Eso es por qué en I Corintios 10:13 Pablo escribió,

No nos ha tomado ninguna tentación sino humana:
más fiel es Dios, que no nos dejará ser tentados más de lo que puede llevar; antes dará también juntamente con la tentación la salida, para que lo puede aguantar.

Esa manera de salida *no es alrededor* la situación, pero *más bien todo seguido* a causa del ayuno y oración. Un ayuno de uno-a-tres días romperá las fuerzas intensas en su carne. Traerá su carne debajo la sumisión al Espíritu Santo. Traerá su espíritu en la línea con lo que el Espíritu de Dios quiere que haga usted-traer la carne debajo del control.

Un ayuno de tres - a - siete - días puede afectar no solamente usted pero quizás romperá las fortalezas para su familia. Usted debe de comprender la guerra espiritual contra usted. Efesios 6:12 nos cuenta, "Porque no tenemos lucha contra sangre y carne, sino contra principados, contra potestades, contra señores del mundo, gobernadores de estas tinieblas, contra malicias espirituales en los aires."

hay una razón por qué Pablo dió esa correlación. La lucha es combate cara - a - cara. La meta del luchador Griega - Romana era conquistar el adversario por sujetarlo. Algunos partidos de lucha Griegos terminaron en la muerte.

Nosotros luchamos por oración, ayuno, y alcanzar las almas. Debemos luchar hasta que veamos sujetado el enemigo sujetar y hasta que tenemos la victoria.

El concepto de principalidades, los gobernantes, y poderíos o las autoridades encontradas en el versículo 12 es muy importante en la guerra espiritual. Todas las guerras ganadas en el natural son primeras ganadas en el sobrenatural. La palabra original para *principalidad* era "ark - hay", lo que significa "principal en aplicaciones de orden, lugar o rango; una serie de directores." Cada nación, cada lola nación en el mundo está debajo de un principalidad.

En Daniel 10:13 Daniel habló del Príncipe de Persia. Daniel 10:20 habló del Príncipe de Grecia. En I Corintios 15:32 Pablo habló de pelear las bestias de Efeso. El enemigo no puede establecer un reino sobre una área a menos que hombre haya primero trazar el plan de esa área y lo había dado un nombre. No podría ser un príncipe de Persia a menos que había una Persia en el mapa, ni un príncipe de Grecia a menos que había primero una Grecia.

El enemigo no es omnipresente, ni es él omnisciente. Más bien, él puede estar en unsolo lugar a un tiempo. Apocalipsis 2:12-13 nos cuenta donde el enemigo, Lucifer sí mismo, se estaba situado en aquel punto en tiempo:

Y escribe al ángel de la iglesia en Pérgamos; El que tiene la espada aguda de dos filos, dice estas cosas: Yo sé tus obras, y donde moras, *donde está la silla de Satanás:* y retienes mi nombre y no has negado mi fe, aun en los días en que fue Antipas mi testigo fiel, el cual ha sido muerte entre nosotros, *donde Satanás mora.*

Pérgamos estaba situada en el Menor de Asia, y ahora está conocido como Bergama en el país de Turquía. En el tiempo que escribía Juan, Satanás estaba situado allí.

Él está limitado a solo un lugar a la vez. En el principio, había tres arcángeles: Lucifer, Gabriel, y Miguel. La Palabra de Dios solamente menciona a estos tres. En el Griego original, la palabra *"arcángel"* significa "un ángel principal", significando que había más de uno, y la palabra aparece únicamente dos veces, en I Tesalonicenses 4:16 y Judas 9.

Lucifer estaba llamado el Hijo de la mañana; él caminaba en el medio del incendio de Dios; y él estuvo sobre el coro de Dios.

Gabriel, por otra parte, es un mensajero o un ángel ministrando. Cada vez que se ve a Gabriel es cuando él trae un mensaje. En Daniel 10:11-13 él entregó un mensaje a Daniel.

Apareció a Zacharias en Lucas 1 y entregó un mensaje. Él también apareció a Mar en Lucas 1.

Él apareció otra vez al nacimiento de Jesucristo. Los cielos se llenaron
de ángeles. No eran peleando, porque Gabriel no es un ángel de guerra. Más bien los ángeles en el cielo proclamaban el nacimiento de Cristo.

Por otra parte, Daniel 12:1 nos cuenta que Miguel "está por los hijos de
tu pueblo." Así, Miguel es el ángel de guerra. El Salmo 34:7 nos cuenta, "El ángel del Señor acampa en derredor de los que le temen, y los defiende." Creo que este ángel podría ser Miguel o uno de los ángeles de guerra incluido en su multitud.

Hebreos 1:14 pregunta, "¿No son todos espíritus administradores, enviados para servicio a favor de los que serán herederos de salvación? En el Griego original esa escritura se inscribe, ¿No son todos administradores Espíritus para servicio, siendo enviado a causa de esos que están a punto de heredar la salvación?

" Creo que con quien usted toma el partido determina cual ángel usted puede ver. Si usted hace el trabajo de Dios y está en necesidad, el ángel del Señor ministrará a usted. Pero si está trabajando contra el trabajo de Dios o el untado de Dios, entonces un ángel diferente del Señor ministrará contra usted.

Apocalipsis 12:7 nos cuenta,

Y fue hecha una grande batalla en el cielo: Miguel y sus ángeles lidiaban contra el dragón; y lidiaba el dragón y sus ángeles, y no prevalecieron; ni su lugar fue más hallado en el cielo. Y fue lanzado fuera aquel gran dragón, la serpiente antigua, que se llama Diablo, y Satanás, el cual engaña a todo el mundo: fue arrojado en tierra y sus ángeles fueron arrojados con él.

Más temprano, el versículo 4 dice eso " ...su cola arrastraba la tercera parte de las estrellas del cielo, y las echo en tierra."

En Génesis 32:1-2, cuando Jacob se fué su camino, los ángeles del Señor lo encontraron y él llamó aquel lugar

¿ Mahanaim, que en el original significa " dos anfitriones." ¿Qué vió Jacob? Él vió el anfitrión que estuvo con Gabriel y el anfitrión que estuvo con Miguel. ¿Por qué solamente dos anfitriones? Porque Lucifer fue lanzado con un tercero de los ángeles, dejando dos terceros en el cielo. Eso significa que hay dos ángeles a cada fuerza demoníaca. Alabanza a Dios para la victoria. Él que en nosotros está, es mayor que él que está en el mundo.

Cada arcángel tuvo un anfitrión de ángeles debajo su liderazgo. Apocalipsis 12:4 dice que cuando Lucifer fue lanzado, él tomó con él un tercero de los ángeles. Este tercero ahora constituye los principados, potestades, y gobernadores de las tinieblas de este mundo. Lucifer no ha suprimido la orden de autoridad, pero más bien lo ha guardado.

Satanás trabaja por medio de la orden de sus potencias de autoridad, o *ex-oo-seha,* que significa "influencia sobrenatural en el gobierno,ciudad por ciudad." Cada iglesia tiene que luchar contra el príncipe o facultades de autoridad de su ciudad. El momento que una iglesia trata a construir en una ciudad, parece que los gobernadores en el gobierno de aquella ciudad se ponen en contraste. No es la gente que se ponen contra ellos; es actualmente los potestades de autoridad en efecto. En Los Hechos 12:1-8 nosotros encontramos Herodes quien había matado á Jacobo el hermano de Juan con una espada y había tomado Pedro y lo iba a matar, también. ¿Como lo podría hacer? Simplemente por la influencia del espíritu de los potestades de autoridad. Fueron las oraciones de los santos y de la iglesia que rompieron este poder.

Cuando usted ayuna uno a tres días, quiebra los potestades del *kos-mok-ratos*, que significa "gobernadores del mundo o señores de la edad, " tales como los espíritus de lujuria, la depresión, el cautiverio, y temer que puede ser plagando a usted personalmente. Lucas 11:24-26 describe lo que sucede cuando el agarro de un espírituestá roto:

Cuando el espíritu inmundo saliere del hombre, anda por lugares secos, buscando reposo; y no hallándolo dice, me volveré a mi casa de donde salí. Y viniendo, la halla barriday adornada. Entonces va, y toma otro siete espíritus peoresque él; y entrados, habitan allí: y lo postrero de tal hombre es peor que lo primero.

Ahora, *anda en este* versículo no significa que un espíritu inmundo tiene que salir y pasear. "*Anda*" en el Griego original quiere decir "atravesar o pasar o taladrar al conducto-venir y ir." El diablo no es el Señor de este mundo; más bien la Biblia dice en el Salmo 24:1 que, "Del Señor es la tierra, y su plenitud."

Sin embargo, las escrituras indican en Efesios 2:2, "En que en otro tiempo anduvo conforme á la condición de este mundo, conforme al príncipe de la potestad del aire." En el Griego original refiere a "el príncipe del poder de la atmósfera."

La Biblia nos cuenta en Génesis 1:1-2, "En el principio crió Dios los cielos y la tierra. Y la tierra estaba desordenado y vacía; y las tinieblas estaban sobre la haz del abismo..." Estas tinieblas no fueron simplemente unas tinieblas naturales, fueron unas tinieblas espirituales. En alguna parte entre los versículos 1 y 2 Lucifer era derrotado por Miguel y fue lanzado á la tierra. Versículo 3 entonces dice, "Y dijo Dios Sea la luz: y fue la luz." Esta luz no fue del sol, la luna y las estrellas porque ellos no eran creados todavía hasta el versículo 14. Esta fue la luz de Dios que erradicó las tinieblas espirituales.

La atmósfera o canal en que mora el reino de espíritu ahora se puede romper y derrotar por el ayuno. Como ya declarado, un ayuno de uno - a - tres - días derrota los gobernantes de la obscuridad y los espíritus de problemas con que repartimos, la lujeria, el cautiverio, la depresión, etc. Un individuo en su hogar puede romper estos espíritus y proteger su hogar de ellos por ayunar y orar.

Además, hay potencias de autoridad que influen una ciudad entera. Este es un paso más en la cadena de autoridad de Satanás. Un ayuno de siete - a - diez - días ayunar es lo que tomará para romper este nivel de autoridad.

Cuando usted ayuna por diez a veinte días, romperá los principados deregir y traerlos a las rodillas.

En Daniel 10:13, Daniel ayunó por 21 días, y eso causó Gabriel venir y darlo un mensaje. Pero Gabriel no pudo romper por el canal que el príncipe de Persia retuvo sobre la cabeza de Daniel-la área donde moraron los espíritus. Entonces Miguel tuvo que venir y derrotar el príncipe. Fue el ayuno de 21 - días de Daniel que trajo todo esto a pasar.

Nuevamente, un ayuno de uno - a - tres - días es para romper los gobernantes de la edad- los espíritus de lujuria, la depresión, el cautiverio, etc. Los potentes de autoridades-la influencia sobrenatural en el gobierno en su ciudad-son rotas por un ayuno de siete - a - diez - días. Un cuerpo de iglesia que ayuna en unidad siete a diez días puede romper el espíritu o la espalda delos potentes de autoridad de su ciudad. Si una nación entera volverá a Dios, y mucha gente ayunará diez a veintiun días, romperá la espalda de los principados.

Nunca hemos llegado, ni nunca llegaremos, al lugar donde podemos relajar de nuestra batalla con los potentes de este mundo. Daniel tenía más de noventa años cuando él ayunó. Como he dicho antes, él podría estar sentado relajado, gustar de sus victorias pasadas, y sazonado en el hecho que él era un hombre sabio y respetado. Pero él volvió como un soldado novato con ayuno eligió la Manera de la Águila para encontrar una dimensión nueva y disfrutar una penetración nueva para el renacimiento. Hay siempre un precio a pagar. Hay siempre algo para afirmar á los pies de Jesús.

La manera más efectiva para ayunar es seguir las directivas encontradas en la Palabra de Dios. No puede nunca hallar dondequiera en la Palabra cuando alguien fue más de 21 días sin comer a menos que Dios lo instruyó o lo ha obligado. Moisés ayunó por ochenta días sin alimento o agua porque estaba instituido por Dios. Nuestra carne no puede ir más de diez días sin agua o moriremos. Debemos ser muy cuidadosos a ejercer cuidado y balanza en ayunar para largos períodos de tiempo. Hágalo únicamente debajo de la autoridad de su pastor y siempre diga a alguien lo que usted hace a fin de protegerse a usted mismo. Solamente Dios obligó o condujó hombres como Moisés, Elías y Jesús...fueron los únicos que ayunaron 21 días para hacer lo que ellos hicieron.

El factor más importante en ayunar es consistencia. He encontrado que una manera efectiva para ayunar es ayunar siete días dos veces por año, tres días cada dos meses, y un día cada semana. He encontrado también que el un día cada semana es la más efectiva. No hace no bueno ayunar siete días y entonces ir seis o sietemeses sin jamaás ayunar otra vez. Es el estilo de vida consistente de ayunar que trae la carne debajo la sumisión a la ley del Espíritu. ¡Esfuerza para consistencia!

En los años tempranos de mi ayuno, ayuné por una razón equivocada. Mi móvil no era puro en ayunar. Yo recuerdo un tiempo cuando tenía 19 años y comenzé a buscar el Señor por ayunar. La intención de mi corazón era ayunar siete días por cada uno de los nueve de dones del Espíritu. Cuando comencé a ayunar y orar, pedí al Señor a conferir en mí la operación del don de sanar. El Señor me paró y me dijo, "No, no ayune por mi don. Los dones son residentes dentro de usted sobre el bautismo del don del Espíritu Santo. Lo que determina cuánto los dones operarán es cuánto de la fruta del Espíritu usted posee. Mis dones reflejen mi poder, pero mi fruta refleja mi carácter y hay algún de mi poder con que no puedo fiarse a usted sin mi fruta." Así que comencé a ayunar para la fruta del Espíritu, siete días por cada de las nueve frutas del Espíritu, buscando a Dios para desarrollar estas áreas de mi vida para que Él me podría fiar con más dela operación de Sus dones.

En esos años más tempranos, fui muy estricto conmigo y solamente bebía agua cuando ayunando. Aun cuando ayunaba diez, catorce o 21 días solamente bebía agua. Sin embargo, como resultado de no beber agua suficiente, eventualmente lastimé mi salud.

Durante un ayuno en el año 1986, fui 21 días con baber agua solamente, entonces rompí el ayuno por cinco días, y después fue catorce días más con solamente agua. Esto habría sido bién, pero no bebí agua suficiente (64 á 80 onzas de agua por día se requiere) y así dañe a mi sistema digestivo.

Ahora recomiendo que después del tercer día de un ayuno largo, usted comienza a beber jugos. Lo encontrará mucho más fácil continuar el ayuno y reservará su fortaleza para continuar sus obligaciones diarias si bebe los jugos.

Ahora no puedo ayunar más de diez días por causa de mi salud. Por arriesgarme el salud en mis días tempranos con ayuno mal aconsejado, mi ayunando está limitado a este tiempo. Así ruego que mi experiencia le ayudará a usted. Si usted consigue en el área de ayunar, recuerda a usar templanza y a tomar cuidado con su cuerpo. Es la única herramienta que Dios ha que usar para acabar Su trabajo y para alcanzar almas en este fin de tiempo.

Otro factor importante en ayunar es tratar de ser solo. Gastar tiempo solo cuando usted está en ayuno es la mejor manera para ayunar. Trato de escapar y quizás subirme en las montañas o alguna parte donde hay quietud, donde no hay el empuje y tirón de la vida. Está en la quietud que usted puede recibir la fruta de ayunar.

He encontrado que si puedo ser todo solo mientras ayunar y no tener la presión y tirón de ocuparme, no me consigo tan enfermo o débil de ayunar. Sigo la advertencia de los señales de mi cuerpo. Si mi cuerpo llega a ser cansado en el medio día, me acuesto y me resto. Me puedo encontrar a las dos de la mañana despabilado y activo, pero permito que mi cuerpo me dicta lo que yo debería y no debería hacer.

Cuando ayunando, tratar de reemplazar cada comida que usted normalmente come con la Palabra de Dios y con oración para que usted podría permanecer equilibrado. La combinación de ayunar, orar, y la Palabra de Dios trae lo todo junto hasta un poder potente. Durante las veces de ayunar la Palabra de Dios vendrá con revelación ayuda y comprensión y el Señor será capaz de hablar con usted.

Uno de los asuntos principales que puedo decir que el ayuno

ha hecho es que me ha cambiado. El ayuno no tuerce el brazo de Dios y conseguirlo a ver cosas en nuestra manera. El ayuno nos cambia, nos transforma, y nos da la libertad de la ley del pecado.

Usted puede haber enseñado que las escrituras como el Deuteronomio 5:9, que dice que "la iniquidad de los padres se visitarían sobre los hijos, y sobre los terceros, y sobre los cuartos" lo que significa que lo que fué pasado puede impedir su futura que cualquiera de las problemas de su Papá van a ser sus problemas también.

Eso puede ser así debajo la ley del pecado. En Juan 1, Jesús se fue hasta Galilea, halló a Felipe y le dijo "Sígueme." Luego, Felipe halló a Natanael y le dijo, "Hemos hallado a aquel de quien escribió Moisés en la ley, y los profetas: á Jesús el hijo de José, de Nazaret. "La respuesta de Natanael era, ¿ De Nazaret puede haber algo de bueno?"

¿ Por qué respondió Natanael en esa manera? Porque Nazaret era una ciudad pequeña que se conoció solamente por el vicio e ignorancia que produjó.

En Job 9:32-33, Job aparentemente lamenta contra esta maldición, por cual los pecados de su padre se fueron pasados por la línea de sangre.

Porque Él (Dios) no es un hombre, como yo soy, que yo Lo debería contestar, y deberíamos venir juntos en el juicio. Ni hay cualquier "daysman" (compromisario o mediador) entre nosotros, quien puede colocar su mano sobre los dos de nosotros.

Aparentemente no había mediador para unir la brecha y romper el proceso deentregar los pecados a la cuarta generación.

No cosa extraña que Natanael preguntó, "¿De Nazaret puede haber algo de bueno?" Éstaba pensando en los términos de la ley del pecado por cual los pecados de los padres se pasan de generación hasta generación.

En 1 Reyes 15:3 Abiam caminó en los pecados de sus padres. Encontrará que en la Génesis 12:13 Abram tuvo un problema con el mentir. Él afirmó que Sarah no era su esposa pero su hermana. Su pecado se había pasado a su hijo, Isaac. En Génesis 26:6-7, Isaac contó el mismo tipo de mentira que contó Abram. El pecado continuó en la vida temprana de su hijo de Isaac, Jacob (Génesis 27-32).

Ahora Job estaba lamentando y preguntando si no había un mediador permanecerse entre esta maldición evidente de pecado.

I Timoteo 2:5 dice, "Porque hay un Dios, asimismo un mediador entre Dios y los hombres, Jesucristo hombre." II Corinthians 5:21 afirma, "A Él que no conoció pecado, se hizo pecado por nosotros, para que nosotros fuésemos hechos justicia de Dios en Él."

Sí, Job, hay un mediador.

En el año 1955 Dr. Jonas Edward Salk encontró una vacuna de polio. La epidemia de polio pasó rápidamente por el área entera durante los 1940's y los 1950's impresionante temer en los corazones de las madres que sus niños nacerían con este virus que puede causar la parálisis y a veces también la muerte. Prohibieron sus niños nadar en los riachuelos cercanos o en cualquier otros aguas.

Dr. Salk descubrió que si él tomó el mero mismo virus que la gente temieron y lo inyectó adentro de una persona con otros anticuerpos que el virus ocasionaría el cuerpo de la persona construir una inmunidad contra el virus. Desde entonces, cada uno de nosotros ha tomado la vacunación de polio. Así la misma cosa que temíamos nos ha causado llegar a ser inmune a sus efectos.

Jesús, quien no conoció pecado, llegó a ser pecado. ¿Por qué? Para que nosotros podríamos llegar a ser inmune a los efectos de la maldición de pecado. Sí, hay un mediador entre Dios y hombre. Cuando escogemos la ley del Espíritu, cuando escogemos seguir Su manera por ayunar, cambiamos los abatimientos nuestros para Su fortaleza. Gálatas 3:13 nos cuenta "Cristo nos redimió de la maldición de la ley, hecho por nosotros maldición: (porque está escrito; Maldito cualquiera que es colgado en madero)."

Sí, mi amigo, no importa lo que su pasado retiene. Su pasado no puede dictar su futura. Si usted comienza a golpear sus alas espirituales por ayunar, usted encontrará que escapará de la naturaleza pecaminosa que es vieja y carnal. Usted entregaría a la ley del Espíritu donde usted puede subir en las dimensiones de Su poder y fuerza. Experimentará la gloria de libertad del peso y maldición del pecado.

En el verano del año 1991, durante de uno de mis despertamientos religiosos, un hombre joven quien vivía un estilo de vida homosexual se adelantó. Aquella noche el Señor lo entregó de su pecado. Él recibió el bautismo del Espíritu Santo y fue bautizado en el nombre de Jesús. Más tarde aquella noche él habló conmigo y me contó que él estuvo en la etapa segunda de SIDA. Su doctor lo había abandonado y le dijo que cuando el SIDA alcanzó la etapa tercera, que lo mataría.

El día siguiente el hombre joven me llamó extático. Él había ido a su doctor para un examen, y el doctor no podría encontrar ni un rastro de SIDA. El doctor entonces lo envió a cinco especialistas diferentes, y todos los resultados volvieron negativos. No había SIDA.

El hombre joven se había roto libre de la ley del pecado y así él se entregó de la maldición de aquel pecado. Se había conseguido libre de la maldición de pecado y se había entregado de la ley de pecado.

Qué cosa hermosa saber que podemos superar nuestro pasado, nuestras equivocaciones, y cualquier otra cosa que nos impide, y recibir el carácter de Cristo. Pero la llave es que debemos permanecer alineado a la ley del Espíritu.

En el próximo capítulo hablaremos y repartiremos con otro elemento que va mano - en - mano con ayunar: *Oración.* Oración nos permitirá escapar de este mundo y su empuñadura pecadora para que nos podíamos elevar en las alas de águilas y encontrar los lugares celestiales de nuestro Señor Jesucristo.

CAPíTULO 2

ORACIóN

Job 28:7-8 dice, Senda que nunca la conoció ni ojo de buitre la vió: Nunca la pisaron animales fieros, ni león pasó por ella. Sí hay una senda de que los aves de esta vida no saben, y que el ojo del buitre no se ha visto.

Cuando los buitres van para una matanza, primero van para los ojos de la víctima porque ellos saben que si pueden tomar los ojos, ellos han obtenido lo que tratan de tomar. Y muchas veces los buitres de este mundo tratan de robarnos de nuestra visión.

Los cachorros del león...esas tentaciones jóvenes que no hemos visto nunca...no lo han pisado, ni el león fiero-la misma tentación vieja que viene contra nosotros año despues de año, no lo ha pasado.

Hay tal senda y esa senda es oración. Oración es la senda sobre que usted puede caminar y el enemigo ni puede siquiera alcanzar a usted. La Biblia nos cuenta en I Juan 5:18, Sabemos que cualquiera que es nacido de Dios, no peca; mas él que es engendrado de Dios, se guarda á si mismo, y el maligno no le toca. Es la senda que podemos caminar-una senda que podemos subir como una águila en las alturas de las cosas profundas y sobrenaturales de Dios.

Sí, muchas veces esa senda nos traerá al lugar donde Dios comenzará a cambiarnos. Dios comenzará a formar nuestra vida y volverla al revés si es necesario para traernos más cerca á Él y para enseñarnos las cosas que Él tendría que sepamos.

La Biblia nos cuenta en Romanos 8:26-28,

Y asimismo también el Espíritu ayuda nuestra flaqueza: porque qué hemos de pedir como conviene, no lo sabemos; sino que el mismo Espíritu pide por nosotros con gemidos indecibles. Mas el que escudriña los corazones, sabe cual es el intento del Espíritu, porque conforme á la voluntad de Dios, demanda por los santos. Y sabemos que á los que á Dios aman, todas las cosas ayudan á bien, es á saber, conforme al propósito son llamados.

El Espíritu sabe exactamente lo que necesitamos a todos momentos aun parece que cuando nuestro mundo se está siendo todo roto. Deuteronomio 32:11 dice, Como una águila despierta su nidada, sobre sus pollos, extiende sus alas, los toma, los lleva sobre sus plumas... CuandoMoisés escribió esto, no podría haber entendido que hablaba profeticalmente de un concepto espiritual.

En el reino animal, las águilas se aparean para la vida. Si alguna vez viene un tiempo que una águila que es madre se separa de su cónyuge por muerte o por un accidente, ella no busca un cónyuge nuevo inmediatamente. Más bien, ella lamentará la perdida de su compañero para bastante rato.

Cuando viene el tiempo para la águila madre (o, en cuanto a eso, cualquiera águila hembra sin compañero) buscar un novio, ella hace algo único. Ella volará en el aire y cuando viene un novio, ella se portará desimpresionado al principio.

Entonces, ella irá a encontrar algunas ramitas, las recogerá, volará alto en el aire, y caerlas. El novio varón que la trata de ganar está requerido bajar rápidamente y coger esas ramitas a medio-vuelo. Si no las coge, él se ha perdido. Se acabó.

Sin embargo, si el novio coge las ramitas, la hembra continuará bajando rápidamente, y comenzará recoger piedras y rocas para que él las coge. Finalmente, ella recogerá unos pedrejones pequeños y caerlos. La águila varón está requerido a bajar rápidamente a medio-vuelo y coger todos estos.

La águila que es madre sabe que el día vendrá cuando la habilidad de esta águila varón será desesperadamente necesitado, así su prueba de él es muy importante.

Después que escoge su compañero, eventualmente hay huevos, seguido por un nido lleno de águilas pequeñas. Cuando nacen, la vida para ellos es gran. La águila madre reveste el nido con plumón, plumas esponjosas y pedacitos blandos de hierba.

Es un lugar muy agradable y cómodo a estar. Ella trae alimento directamente á las águilas pequeñas, y les da la comida directamente en las bocas. Sin embargo, el día viene cuando las águilas pequeñas crecen y comienzan a recibir sus plumas.

La águila madre sabe que es tiempo para las águilas jóvenes a volar.

Ella viene al nido, sube encima, y así como dice Deuteronomio 32:11; golpea sus alas y comienza a despertar el nido.Lo golpea hasta que todas las plumas, plumón y pedacitos de hierba son golpeados afuera y entonces reestructura los palos y rocas en el nido.

Ahora el nido es un poco incómodo. Esas águilas pequeñas comienzan a brincar alrededor y preguntar qué sea ocurrir en su mundo. ¿Por qué hay tanto incomodidad?

Entonces la águila madre hará otra cosa. En vez de traer el alimento derecho a las águilas pequeñas, ella se pone en un retallo, rama o roca cercano y come el alimento en el medio de ellos mientras que ellos hacen ruidos hambrientamente para obtener su atención. Aquellas águilas pequeñas se ponen directamente en el borde de su nido y graznan y sacuden las alas y probablemente preguntan por qué en el mundo hace ella esto.

Finalmente, uno de ellos consigue suficiente nervio para ir fuera sobre el borde del nido y entonces hasta el medio-aire. Inmediatamente, ese águila pequeña comienza a caer desde la altura del nido, revoloteando sus alas tan rápidas que se puede. Aquí es donde entra la águila varón. Él debe de tener la celeridad, habilidad y capacidad necesario para bajar rápidamente y coger aquel pequeña detrás de sus alas y traerla arriba otra vez..

Este es el intendimiento espiritual de Deuteronomio 32:11. Cuando comenzamos a orar, el Espíritu sabe lo que es mejor para nosotros. Hay veces cuando parece que nuestro mundo entero se vuelca, cuando en actualidad Dios está diciendo simplemente que es tiempo para volar. Y oración es la mejor manera a volar porque el Espíritu sabe la manera que deberíamos tomar.

Santiago 5:15 nos cuenta, Y la oración de fe salvará al enfermo, y el Señor lo levantará; y si estuviere en pecados, le serán perdonados. Note que dice la oración de fe. Nunca he sanado una persona, ni he nunca salvado una persona. Más bien, fue la oración de fe que hizo el trabajo y el Señor fue el uno que los levantó arriba.

Los versículos 16-18 dicen,

Confiese sus faltas unos á otros, y orar unos por otros, para que sean sanados; La oración eficaz y ferviente de un hombre honrado provecha mucho. Elías era un hombre sujeto á semejantes pasiones que nosotros, y oró en serio que no lloviese, y no llovió sobre la tierra en tres años y seis meses. Y otra vez oró, y el cielo dió lluvia y la tierra produjó su fruto.

Si verdaderamente, es la oración eficaz y ferviente de un hombre honrado que provecha mucho. Necesitamos intender los principios del Espíritu que la Palabra nos indica.

I Reyes 17:1 dice,

Entonces, Elías Thisbita, que era de los moradores de Galaad dijo á Achab: Vive Jehová, delante del cual estoy, que no habrá lluvia ni rocio en estos años, sino por mi palabra.

Usted puede pensar que él vino de ninguna parte, vestido con nada salvo una faja de cuero, con pelo desarreglado, oliendo del desierto, señalando con el dedo en la cara de este rey y diciendo, ¡Arrepentirse! Usted puede pensar que él simplemente apareció fuera del aire delgado, pero más bien la referencia en Santiago nos cuenta que esta palabra de profecía vino con primero mucha oración-oración eficaz, ferviente y sincera.

Por toda la Palabra de Dios el poder de oración se demostraba mediante las vidas de tales hombres de Dios como Moisés, Abraham, Eliás, Daniel, y así sucesivamente.

Una vez Samuel Chadwick dijo,

El único interés del diablo es no dejar los creyentes orar. Él teme nada de los santos que no oran, trabajo sin oración, ni religión sin oración.Él rie en nuestro afán, burla en nuestra sabiduría, pero tiembla cuando oramos.

Este mundo unicamente será sacudido por una gente que conseguirá á Dios y orar. La esperanza de este mundo no es un método más grande, ni un programa más grande, pero más bien una gente más grande encendida por el Espíritu por oración.

La oración de Moisés en el Éxodo 32 contiene un punto y coma y una raya misteriosos en el versículo 32. Esto puede significar una oración larga y que Moisés vertió hasta Dios. Pero siguiendo la raya y el punto y coma, la oración muestra la carga cierta y desinteresado que sintió Miosés para los niños de Israel. Dice; Que perdone ahora su pecado; y si no, ráeme ahora de su libro que ha escrito. Esta oración suspendió la cólera de Dios.

Elías oró seriamente que no llovería, y Dios honró la palabra del profeta cuando se habló á Rey Achab porque la batalla ya había ganada en oración. El tiempo para pelear, el tiempo para orar no es cuando usted se encuentra cara a la imposibilidad. Eso es el tiempo para orar la oración de fe por hablar la palabra. La batalla se pelea en oración. Todas las guerras ganaron en el natural son primeras ganadas en el sobrenatural.

Cada vez que Dios desea a levantarnos hasta una dimensión nueva en el Espíritu, esa dimensión tiene que ser precedida por oración. Para compartir en los secretos del Señor, debemos primero permanece con Él en oración. No simplemente un ratito, pero mucho tiempo. E. M. Bounds dijo, El conocimiento de Dios no está hecho conocido con prisa.Él no confiere Sus regalos sobre el casual o apresurado uno que venga y salga. Para ser solo mucho con Dios es un secreto de conocerlo y de ser de influencia con Él.

¡Tenemos que orar!

El secreto del Señor es para los que Le temen; y Él los enseñará alianza. (Salmo 25:14) Los mensajes no son nacidos en el estudio, pero más bien sobre nuestras rodillas en oración. Las cargas son forjadas sobre nuestras rodillas en oración. Los pecados son remitidos sobre nuestras rodillas en oración. Las imaginaciones perversas se capturan sobre nuestras rodillas en oración. Duda y miedo son expulsados sobre nuestras rodillas en oración. Las iglesias crecen más fuertes sobre nuestras rodillas en oración. Llegamos a ser una nación más fuerte sobre nuestras rodillas en oración.

¡Nuestra posición más influyente en el reino de Dios es sobre nuestras rodillas en oración!

En I Reyes 17, después que habló la palabra, Elías fue y se escondió mientras el tiempo que el rocio y la lluvia no cayeron en Israel. Durante este tiempo el Señor lo dió comida con pan y carne traido por los cuervos. Él causó el agua fluir en un arroyo para que él la bebería.

Entonces versículo 7 dice secóse el arroyo.Elías no aterrorizó, porque él entendió que no era el tiempo para conseguirse en un surco. Era el tiempo para mover hasta al próximo milagro por fe. Y sí, mi hermano y hermana, cuando secóse su arroyo, es tiempo para mover hasta cosas más grandes en Dios por fe.

El Señor tuvo la viuda de Sarepta que esperaba Elías, y el gran milagro involviendo su barril de harina y botija de aceite era forjado a causa de su consistensia fiel de conocer y oír la voz de Dios por oración.

Luego, cuando murió el hijo de esta viuda, ella dijo a Elías. "¿Qué tengo yo contigo, varón de Dios? ¿Has venido á mí para traer en memoria mis inquiedades, y para hacerme morir mi hijo?" (I Reyes 17:18) Esto indica un pecado anterior, quizás fornicación.

Versículo 21 dice que Elías se estiró sobre el niño tres veces y clamó al Señor y dijo, "O Señor, Dios mío, oro que vuelva el alma de este niño á sus entrañas otra vez."

Nota que no era hasta que Elías oró tres veces que pasó el milagro. Debemos ser capaz de ejercitar autodisciplina. Muchas veces nuestro horario no es el mismo que el de Dios, pero Dios es sienpre a tiempo. Él es nunca demasiado temprano, nunca demasiado tarde, pero siempre, siempre ¡exactamente a tiempo!

En II Corintios 12:12, Pablo escribe, "Verdaderamente las señales de un apóstol han sido hechas entre usted en toda paciencia, en señales, y en prodigios, y en maravillas pederosas." Toma paciencia para ver las señales, prodigios y maravillas poderosas.

En el verano del año 1991, Hermano T. W. Barnes me contó la historia siguiente:

Una mujer para quién él había orado había pasado debido a un ataque de corazón. Cuando llegó al hospital, el doctor de ella estaba escribiendo su certificado de muerte. Hermano Barnes le dijo, "Doctor, quisiera orar para ella." El doctor probablemente estaba pensando que él venía para administrar sus ritos últimos, pero poco comprendió el poder de oración eficaz y ferviente de un hombre honrado de Dios.

Hermano Barnes comenzó orar para ella y reprender el espíritu de muerte. El doctor entró y dijo, "Reverendo, ella es muerta." Hermano Barnes siguió orando para diez minutos más, entonces quince, veinte, y veinticinco minutos, con todavía ninguna señal e vida. Volvio el doctor y lo sacudió por el brazo y le dijo, "Reverendo, yo dije que ella es muerta." pero Hermano Barnes continuó orar la oración de fe, pacientemente confiando y esperando para Dios.

De repente, después de treinta minutos, la mujer dio un arranque y volvió a la vida. Ella dijo, "El Señor me ha retornado que yo debería ir a mis niños perdidos y decirles que tienen tres días para poner bien sus vidas con Dios."

Así por tres días ella predicó a ellos y les dijo seguir el camino que debe con Dios, y entonces ella pasó nuevamente. Después, la escena se repitió. Hermano Barnes vino al hospital y acercó el doctor cuando él estaba escribiendo el certificado de muerte. El doctor miró,lo vió viniendo, dio un paso atrás y dijo, "Hola, Reverendo, ¿gustaría orar?" Hermano Barnes simplemente sacudió la cabezay dijo, "No, doctor, ella es muerta.

¡La oración eficaz y ferviente de un hombre honrado provecha mucho!

I Reyes 18:21-40 da la cuenta de la confrontación decisiva entre Elías y Achab con sus 450 profetas de Baal y 400 profetas de los bosques. La confrontación decisiva estuvo para determinar cuál Dios contestaría. Elías vino hasta toda la gente y dijo, "¿Hasta cuándo se detienen entre dos opiniones? Si el Señor ser Dios, seguirle, pero si Baal, entonces ir en pos de él." Ellos hicieron una estipulación: El dios que respondió por fuego sea reconocido como Dios.

Los porfetas de Baal y los profetas de los bosques gritaron hasta Baal desde la mañana hasta el mediodía. Al mediodía Elías los burlaba y dijo, "Grita en alta voz porque él es un dios. Tal vez está conversando, o tiene algún empeño, o él está en un viaje, acaso duerme, y despertará."

Y ellos clamaban a grandes voces, cortando sí mismos con cuchillas y con lanzetas, hasta chorrear la sangre. Ellos oraron toda hasta el tiempo del sacrificio de la tarde, pero todavía no había voz ni respuesta.

Entonces Elías reparó el altar del Señor que estaba arruinado. Después de reconstruirlo, puso madera y un buey sobre el altar. Llenó doce barriles con agua y lo vertió sobre el altar. El agua corrió del altar hasta la reguera.

La Biblia dice que en el tiempo del sacrificio de la tarde, Elías oró una oración simple.

Señor Dios de Abraham, de Isaac, y de Israel, sea hoy manifiesto que Usted es Dios en Israel, y que yo soy su siervo, y que por mandato de Usted he hecho todas estas cosas. Respóndeme, Señor respóndeme para que conozca este pueblo que Usted es el Señor Dios, y que Usted volvió atrás el corazón de ellos.

Esta oración simple trajo el fuego de Dios porque Elías había gastado tiempo en oración y ayuno con anticipación y él conoció la mente de Dios. Cuando hemos gastado nuestro tiempo en oración y ayuno antes de la batalla, entonces en la presencia de la imposibilidad podemos orar la oración simple de fe y el fuego de Dios caerá.

En I Reyes 18:41-46, Elías profetizó a Achab, diciendo, "Sube, come y bebe, porque una grande lluvia suena." Esta palabra no fue hablado con ligereza; cuando Achab subió a comer y beber, Elías subió a la cumbre del Montaje Carmela, se postró a sí mismo en tierra, puso su rostro entre las rodillas, y comenzó ayunar y buscar Dios. Nunca hay un tiempo cuando una palabra hablada de un hombre cierto de Dios no es primero precedido por oración y buscar Dios.

Elías envió un sirviente siete veces a ver si había una nube. Creo que había por lo menos una hora de oración entre las veces que él envió el sirviente. Más de siete horas largas Elías buscó Dios hasta que él vió la nube pequeña que era como la palma de la mano de un hombre. Era todo lo que necesitaba para decir a Achab, "Prepare su carro romano y desciende, porque la lluvia no te ataje."

Los talentos, capacidad, y inspiración no pueden reemplazar la fe simple. Nuestra fe se construye por la Palabra de Dios, y por gastar tiempo con Dios en oración.

Marcos 11:22-23 nos cuenta,

Y respondiendo Jesús, les dice: Ten fe en Dios. Porque de cierto les digo, que cualquiera que dijere á este monte: Quítate, y échate en el mar: y no dudare en su corazón, mas creyere que será hecho lo que dice, lo que dijere le será hecho.

¿Como podemos saber eso? ¿Como podemos tener la confianza a hablar á los montes-los montes de duda, temer, enfermedad, enfermedad, el trauma financiero y imposibilidades y mandarlos que salgan nuestras vidas? Es porque el versículo 24 nos cuenta, Por tanto les digo que orando pide, creer que lo recibe, y los tendrá. La fe se ejerce en oración. La batalla está ganado en oración.Cuando hemos orado la oración de fe, entonces podemos tener la autoridad espiritual para hablar hasta la montaña y para mandarla que vaya en el mar.

Recuerda, era las tres semanas poderosas de Daniel de ayunar y orar que trajo la respuesta sobrenatural de Gabriel y Miguel y dio dirección a los niños de Israel en un tiempo de necesidad. Daniel se quedó cierto en un tiempo de apostacía e idolatría y guardó su fe porque él supo orar.

La dirección vendrá a esos quienes colocan sus corazones para recibir el toque de Dios por oración. No vivirán las vidas de confusión, pero conocerán la mente y la voz de Dios porque han gastado tiempo con Él por oración.

Jesús habló de oración muchas veces. En Lucás 18:1, Él habló de la importancia de oración consistente:Y propúsoles también una paróbola sobre que es necesario, orar siempre,

y no desmayar. Consistencia en oración es tan importante. Deja que cada y todos los días se oblíteran. Si usted oró diez horas ayer, ¿qué pues? Hoy es un día nuevo en Dios, y ¡usted debe orar!

Lamentaciones 3:23 dice, Nuevas son cada mañana (las

misericordias de Dios); Cada mañana trae un día nuevo y una pizarra limpia. Aun si no oramos ayer, podemos orar todavía hoy.

Yo creo que la razón por qué Jesús podría hablar á la tormenta y mandarla, "Paz, enmudece," manda los muertos, estar levantados y los ojos ciegos estar abiertos, era porque Él había hecho ya Su pelea antemano en oración.

Marcos 1:35 dice, "Y levantándose muy de mañana, aun muy de noche, salió, y se fue a un lugar desierto, y allí oraba." Lucás 6:12 dice, "Y aconteció aquellos días, que fué al monte á orar, y pasó la noche orando á Dios." Jesús era Dios manifestado en la carne, aunque Su humanidad se fusionó con la divinidad, Su carne todavía tuvo que orar para saber el poder de Dios. Jesús Sí mismo dijo en Marcos 14:38, "Vela y orar, para que no entra en tentación. El espiritu á la verdad es presto, mas la carne es débil."

En todos los empeños espirituales, oración es la única que mantiene el espíritu en control. No, nunca hay demasiado grande sacrificio en nuestra caminata con Dios cuando concierne oración.

Hay muchos principios de oración que podemos comprender por las Escrituras. Como cubrí en capítulo 1, las tres clasificaciones de espíritus: Principalidades, potestades y los gobernadores de la obscuridad en este mundo son derrotados por oración.

Efesios 6:18 dice, Orando en todo tiempo con toda deprecación y súplica en el Espíritu, y velando en ello con toda instancia y suplicación por todos los santos.

En Génesis 13:14-17 Dios dijo á Abram,

... Alza ahora los ojos, y mira desde el lugar donde estás hacia el norte, y hacia el sur, y al este, y hacia el oeste: Porque toda la tierra que ves, la daré a ti, y a tu simiente para siempre. Y haré tu simiente como el polvo de la tierra: para que si alguno podrá contar el polvo de la tierra, tu simiente será también contada. Levántate, ve por la tierra á lo largo de ella y á su ancho; porque á ti la tengo de dar.

La autoridad sobre los principalidades de nuestras ciudades, nuestras naciones y nuestros hogares se toma por oración. Isaías 43:5-6 apoya el concepto en que deberíamos tomar autoridad en oración contra los príncipes del norte, del sur, del este, y del oeste de nuestras ciudades y de nuestra nación:

No temas ; porque Yo soy contigo: Yo traeré tu semilla del este, y del oeste te recogeré: Diré al norte, Da acá; y al sur, no detengas: trae de lejos mis hijos, y mis hijas de los fines de la tierra.

Ahora mismo, mientras que usted está leyendo este libro, pónte de pie, señala con el dedo hacia el norte de su ciudad, habla en voz alta y decir, Príncipe del norte de (su ciudad), mando que libere las almas de esta ciudad, suéltelos y deje que se vayan. Ahora punta al sur y manda que el príncipe del sur de su ciudad desate á esas almas y deje que se vayan en el nombre de Jesús. Haga el mismo para el este y el oeste. Ahora el diablo probablemente habla a usted y está diciendo, Este es loco. Usted es estúpido. Sin embargo, usted está ejercitando autoridad espiritual por oración y tomando la autoridad que Dios le había dado , porque el enemigo ha caído. Recuerde, el enemigo no es el gobernador o controlador de este mundo. El dominio del enemigo es únicamente territorial. La tierra es del Señor.

Déjeme anotar aquí que esta autoridad es únicamente parcialmente tomada por oración en esta manera. Incluido con esto debe de ser un ministerio de alcanzar para almas uno por uno para esta autoridad ser completo y efectivo. No podemos ser engañado en pensar que la victoria está ganado simplemente por gritando abajo los adversarios espirituales de los torres de superespiritualidad.

Mi buen amigo, Jason Sciscoe, una vez me contó de una visión que él tuvo cuando estaba orando. Era como Dios tiró el velo al mundo de espíritu para un segundo. Él vio una puerta y vio los espíritus pasar de aquí para allá por ella como un canal. Dios había dado a conocer a él este canal en que los espíritus moran y existen.

Los espíritus son territoriales, pero. .. Más exelente es Él que está en usted, que él que está en el mundo (I Juan 4:4). ¡Dios es más exelente!

Otro oración que podemos orar se llama la oración de cobertura. Job 1:5 dice que Job se levantába temprano cada mañana y oraba para todos sus niños, diciendo, Quizá habrán pecado mis hijos, y habrán blasfemado á Dios en sus corazones. Él oraba continuamente hasta que él había orado una cobertura alrededor su familia. En los versículos 8-10, el Señor pidió al diablo si él había considerado Job, quien era un hombre recto y perfecto. Satanás contestó y dijo, ¿Teme Job á Dios de balde? ¿No le has Tú hecho una cobertura á él, y á su casa, y á todo lo que tiene en derredor?

En el Hebreo original, *cobertura* significa entretejer, o encerrar para protección. Sí, sus oraciónes pueden orar una cobertura alrededor sus amados perdidos y alrededor su hogar para protegerlos.

Ezequiel 22:30 dice, Y busqué de ellos hombre, que hiciese vallado, y que se pusiese al portillo delante de mí por la tierra, para que yo no la destruye: pero no lo hallé. En Oseas 2:6-7 el Señor promete á Oseas, quien era casado a Gomer,

Cercaré el camino (de Gomer) con espinas, y la cercaré con ceto, y no hallará sus caminos. Y seguirá sus amantes, y no los alcanzará; y ella los buscará, pero no los hallará: entonces dirá: Iré y me volveré a mi primer marido: porque mejor me iba entonces que ahora.

Usted puede orar una cobertura alrededor sus amados perdidos hasta el punto donde ellos no más encontrarán placer en pecado. Se sentarán sobre su taburete de cantina y sentirán enfermos en el estómago por la vida que viven. Como el hijo pródigo vino a sí mismo, ellos vendrán también a sí mismos y regresar á la casa del Padre.

¡Una palabra de advertir! Usted no debe romper esta cobertura. Ecclesiastés 10:8 dice...El que hiciere el hoyo caerá en él; y el que aportillare el vallado, morderále la serpiente. No debemos romper la cobertura.

Había un hombre joven en Houston, un converso joven, quien yo oí testificar. Él había tratado de vivir una vida honrada y limpia, pero había una mujer en su trabajo quien estaba tratando de seducirle. Todos los días él la trataba de resistir, pero él sintió su resistencia adelgazar. Una de noche él oró, Señor, ayúdame en esta lucha. Necesito Su fortaleza. Tengo ganas de tropezar. Aquella noche él tuvo un sueño. En este sueño él vio sí mismo parado y todo alrededor él fue un corro de ángeles posicionados ala á ala. La mujer quien era tratando de seducirle era fuera del corro de ángeles. Ella trataba de alcanzarle pero ella no podría porque los ángeles formaban una cobertura. Entonces él vio á sí mismo

alcanzando para la mujer. Cuando él hizo eso, los ángeles dieron paso hacia atrás como si dirían, Está bien, si usted quiere, sigue adelante. Él despertó llorando y orando, Dios, no deja jamás que rompo la cobertura. ¡No debemos nunca romper la cobertura! ¡Debemos orar y continuar orando! Nunca he conocido un creyente quien tuvo una vida de oración actual y fuerte que rompió la cobertura y recayó.

Isaías 62:6-7 dice,

Sobre tus paredes, O Jerusalén, he puesto guardas; todo el día y toda la noche no callarán jamás. Los que se acordan del Señor, no cesan, ni le dan tregua, hasta que confirme, y hasta que ponga á Jerusalén en alabanza en la tierra.

¡Sí, debemos orar y orar y orar! Y cuando somos cansados y sentimos como ya no podemos orar, tenemos que orar nuevamente y no desmayar.

Fue en el verano del año 1987, debajo la autoridad de mi

pastor, James Kilgore, que mi vida de ministerio echó raíces. Gasté muchas, muchas noches en oración en mi iglesia,Tabernáculo de Vida en Houston. Frecuentemente oraba toda la noche. Las raíces de cualquier ministerio deben primero ir abajo de hondo en oración. Cualquier ministerio que comienza en oracióny no continúa en oración terminará en ruina. Nunca puede comenzar una vida de oración y entonces ponerlo á un lado. Debe ser siempre ser una parte integral de su vida. Oración y ayuno son los dos guardas que están parados á la puerta del sobrenatural, manteniendo usted en la línea, manteniendo usted en control.

Luego, en el verano del año 1989, había vuelto á Houston, y una noche estaba buscando Dios en serio en afán. Había estado ayunando para bastante número de semanas y buscaba al Señor en nombre de los jóvenes de esa iglesia. Muchos de ellos iban a dos cabaretes locales, El Club X y El El Flamenco, y se conseguían borrachos y cayendo en la inmoralidad. Comencé a orar contra los espíritus que sacaban á estos jóvenes para destruir sus vidas. Entonces llegué a ser exasperado y enojado.

Como á las 2:00 a.m., dejé la iglesia con una botella de aceite y salí por las calles de Houston. Caminé hasta El Flamenco y comenzé a untar las puertas en el nombre de Jesús, orando que Dios cerraría esas puertas. Mientras que oraba, las puertas abrieron y el propietario vino afuera y me pido, ¿Que está haciendo usted? Lo miré directamente en el ojo y le dije, Estoy orando que Dios cerraría este establecimiento. El propietario comenzó a me maldecir y él me persiguió hasta lejos.

Fui por el camino al Club X para untar sus puertas. Mientras que lo hice, dos apagabroncas grandes con brazos el tamaño de los muslos de hombres normales vinieron afuera y dijeron, Oye, ¿que está haciendo? Una vez más contesté, Estoy orando que Dios cerraría este establecimiento entero. Uno de los apagabroncas tuvo un Mohawk corte de pelo colorado en arco iris y estaba vestido en extraña ropa negra. Así como lo miré en el ojo, él comenzó a sacudir y temblar. Le dije, Usted ofre á los jóvenes una alternativa barata para sus vidas cuando el amor cierto puede únicamente ser encontrado en Dios. Entonces lo entregué un folleto del Tabernáculo de Vida que dijo, Ven y ver donde el amor donde cierto puede ser encontrado.

Pues, no fomento nadie hacer algo así como esto a menos que usted está debajo la guía directa del el Espíritu Santo y en conformidad con la autoridad de su pastor. El poder de oración, aunque, se ejemplificó en esta situación. Unas pocas semanas luego, El Flamenco estaba forzada la entrada y todo su equipo estaba robado. Porque ellos no tuvieron aseguración, tuvieron que cerrar. El Club X había estado vendiendo drogas y alcohol a los menoresde edad; se los cogieron y el establecimiento entero estaba cerrado. Sí, la oración eficaz y ferviente de un hombre honrado provecha mucho.

Un otro tiempo, en el verano del año 1991, revolví al Tabernáculo de Vida debajo la dirección de Pastor Kilgore para descansar por unos pocos meses. Durante ese tiempo, Hermano Johnny Garrison de Nigeria condujó muchos de los ministros jóvenes de la iglesia en gastar cada noche de una dos-semana período en oración desde la medianoche hasta las seis de la mañana. Durante este tiempo decidí ir por un ayuno extendido.

Sobre cerca del noveno día de mi ayuno, mientras que orabamos toda la noche, estaba colocando debajo de uno de los bancos en el trasero de la iglesia, llanto y llorando. Entonces vi una visión de una bandada de buitres negros que circularon el la iglesia, circulando el liderazgo, y circulando los jóvenes. De vez en cuando un buitre se pondría en libertad, volar abajo y envolverse alrededor una persona joven, un miembro de la iglesia o un líder. Pareció como el buitre desaguaba la mera vida y fortaleza fuera de esa persona. Esa persona trataría de golpear el buitre y tirar lo fuera, pero no lo podría.

Yo comencé á afanar debajo tal carga pesada intensiva, hasta finalmente rompió la visión y todos los buitres desvanecieron. Cuando me levanté al fin era las 6:00 a.m., y fui a la casa. A como las 11:00 a.m., telefoné á Pastor Kilgore y lo conté la visión. Él respondió, Hermano Arcovio, únicamente esta mañana vine á la iglesia para recobrar algunas cosas y dejé mi automóvil afuera en la calzada. Cuando volví de mi oficina, allí estaba sentada sobre mi capó un ave enorme y negro - como un buitre, un tipo que no he visto nunca en Houston. Como miré este buitre, me miraba con fijeza con una mirada perversa. Dentro de mi corazón el Espíritu Santo me habló y me contó que este era algún tipo de fuerza espiritual enviado de infierno contra mí y contra la iglesia. No claudiqué, pero comencé a mirar esa cosa en el ojo y decir, En el nombre de Jesus. La tercera vez que lo dije, la ave subió sin sacudir ni una ala y flotó atrás del gimnasio.

Esta era la señal que, sí, los buitres de los espíritus que habían tratado de venir contra la iglesia para atacarla había sido roto por la oración eficaz y ferviente de un hombre honrado. Podemos romper las espaldas de las potencias de autoridades en nuestras ciudades, y de los principados sobre nuestros países, por el poder de oración.

En Los Hechos 12, el poder de autoridades se ejemplificó cuando Herodes mató Santiago con una espada y puso Pedro en la prisión. ¿Como puede suceder esto contra hombres de Dios? Por los principados, las potencias, y los gobernantes de la obscuridad de este mundo (Efesios 6:12). Los Hechos 12:5 dice que oración se hizo sin cesar por la iglesia para Pedro. Con esta oracíon el poder se rompió. El ángel vino y liberó a Pedro desde la prisión y lo entregado a la misma junta de oracíon que oraba por él.

Es sobre nuestras rodillas en oracíon que encontramos que verdaderamente podemos confiar en Dios. Si todo el mundo pierde confianza en nosotros, podemos saber que Dios tendra confianza en nosotros. Si todo el mundo nos da la espalda y nos rechaza, nosotros podemos saber que Dios no volvera su contra nosotros.

En II Timoteo 4:16-17 Pablo dijo, "En mi primera defensa ninguno estuvo a mi lado, sino que todos me desampararon; no les sea tomado en cuento. Pero el Senor estuvo a mi lado, y me dio fuerzas..." Dios me dirigio a esta escritura en un tiempo de mi vida cuando estaba desalentado. Yo sentia que algunos que se llaman hermanos y ministros del evangelio hacian su mejor para destruir mi vida y mi ministerio. En aquel tiempo yo estaba en Stockton, California predicando un avivamiento para el Pastor Kenneth Haney. Una noche estaba en la casa de T.R. McDonald el abuelo de mi esposa, orando en su sala. Mientras yo oraba, comence a sollozar y llorar por causa de la carga y las presiones contra mi. De repente la sala se lleno de la presencia de un hueste potente de angeles.

Me detuve en mis pasos por causa de la imponente presencia de Dios y de sus huestedes celestiales que habian entrado en la sala. Ola tras ola de la gloria de Dios comenzaron a chapotear sobre mi. Despues de casi tres horas de estra experiencia electrizadora el senor me dirigio a esta escritura, diciendo, " Si todos te abandonan, yo permanecere contigo". Que consuelo es saber que Dios permananecera con nosotros. Podemos encontrar esta promesa pasando tiempo con Dios en oracíon.

Ahora vamos a cubrir el tema de "Oracíones de Suenos". Nosotros podemos orar que Dios hable a nuestros seres queridos que estan perdidos en sus suenos, y El puede hacerlo. Yo soy un cristiano hoy por una madre que era guerrillera de oracíon. Yo creci oyendo a mi madre gimiendo en el siguiente cuarto-a veces hasta el amanecer-orando que Dios cubriera a sus ninos con su sangre, que El los salvara, los mantuviera salvos y los usara en el Reino de Dios. A veces oraba que nosotros no escuchabamos en lo natural.

Mucha gente puede peicar y resistir la conciencia, pero no pueden pelear y resistir la subconciencia. Y si Dios trato con los hijos de mi madre en sus suenos, le podemos pedir a Dios que trate con nuestros seres queridos por medio de sus suenos este.

Eu Genesis 20:3, Dios trato con Abimelech por medio de un sueño. En Genesis 31:24, Dios trató con Laban el Sirio por medio de un sueño.En Genesis 41:8, Dios trató con Faraon en un sueño. Daniel 2:1 da cuenta del sueño de Nabucodonosor. En Mateo 27:19, la esposa de Pilato dio cuenta de un sueño que la inquieto. Todos estos eran impios malvados.

Au Dios trató con los rectos por medio de sueños. Jacob en Genesis 31:11, Jose en Genesis 37:5, Salomon en Primera de Reyes 3:5, Daniel en Daniel 7:1, y Jose en Mateo 1:20. La oracíon efficáz y ferviente causa que el poder de dios hable y trate con las personas por medio de sus sueños.

Hay basicamente tres etapas de oracíon. La primera es la oracíon intercesora, que es orar por otros, orar por necesidades y en nombre de sus situaciones.

Segunda, hay veces que la carga es tan grande que la oracíon es mas profunda-orar en lenguas. Yo creo que esta es una de las operaciones duales del don de lenguas. Una operacíon del don de lenguas es para edificar a la iglesia, la otra para edificar al creyente.

Han habido veces que yo me he perdido en la dimensíon de hablar en lenguas y me he sentido orando en dialectos diferentes. Esto fue confirmado por el Hermano J.T. Pugh de Odessa, Tejas. Una vez cuando estaba orando con el Hermano Pugh, noté que el estaba orando en dialectos diferentes y le pregunté sobre ello. El Hermano Pugh contestó, "O, si, han habido muchas veces que he sentido que he intercedido por paises asi como Dios me ha permitido orar en muchos dialectos diferentes en el Espiritu.

En tercer lugar, hay veces cuando nosotros vamos mas alla de la oracíon intercedora y lenguas a ese tiempo bendito de fatigar. El fatigar nunca debe llegar a ser un arte perdido. Siempre debemos de apreciar grandemente la oracíon de fatigar. Nuestros niños deben oirnos fatigar en la medianoche. Isaias 66:7 dice, "Antes que estuviese de parto, dio a luz; antes que le viniesen dolores, dio a luz a un hijo."

Cuando nosotros escogemos fatigar, vamos hasta la profundida del infierno. Nos ponemos en contra de la muerte. II Corintios 4:11 dice, "Porque nosotros que vivimos, siempre estamos entregados a muerte por causa de Jesus, para que tambien la vida de Jesus se manifieste en nuestra carne mortal." Cuando vamos abajo, a la profundida de fatiga, estamos yendo en contra de la muerte.

Yo recuerdo una noche despues de un ayuno extendido en los princioious del año de 1980 cuando el Señor me habló-no en una manera fuerte y atronadora pero en una voz apacible y delicada-que fuera a la iglesia para orar. Cuando comencé a salir para la iglesia mi carne gritó, "Tienes que trabajar manana. Tienes que levantarte a las 6:00 de la mañana. Tienes un dia largo adelante de ti." Peropuse todas estas voces a un lado y me fui para la iglesia.

Un espiritu abrumador de fatiga y oracíon descendio sobre me. Al tiempo que llegue a la iglesia estaba gimiendo en el Espiritu. El llanto era tan incontrolable que no podia caminar. Me arrastre desde mi automovil hasta la puerta de la entrade de la iglesia, abri la puerta y calli en el pasillo en frente de la oficina de mi pastor. Allo estaba tirado y torcido llorando y orando mientras ola tras ola de la carga de fatiga paso sobre mi. Fatigúe y lloré hasta que finalmente el Espiritu se levantó. No tenia suficiente fuerza para levantar mi por siete horas y media. Estuve tociendo sangre y no tenia las fuerzas para moverme. Al fin me levanté y fui al baño para lavarme la cara, y ni siquiera me conocí a mi mismo en el espejo por lo inchado de mis labios y mis ojos que no podia abrir. Pero, oh, lo que mire era el fuego que estaba ardiendo.

Una cosa que he tenido que aprender es que no se puede permanecer en ese lugar de muerte siempre. Si lo haces, te vas ha destruir, porque estás yendo contra la muerte. Por eso es lo que la Biblia dice en Nehemias 8:10, "..Porque el gozo de Jehovah es vuestra fuerza." Como debemos penar y llorar en el Espiritu, debemos de regocijarnos y alabar ardieatemente para poder tener el balance en nuestras vidas y no destruirnos a si mismos. Somos los únicos instrumentos que Dios puede usar, y es el deber del diablo tratar de impedir que seamos usados. He descubrido que para mantener el balance en mis muchas horas de oraciones cargadas, tengo que experienciar una alabanza ardiente y gozosa; mi fuerza esta en el gozo del Senor.

Finalmente, hay una oraíon llamada la oracíon "Nosotros".

Mucha veces oramos por personas mientras las menospreciamos. Decimos, "O, Dios, salva a ese pecador sucio," o, "Salva a mi esposo, es un hombe muy malo". El Señor quiere que nos pongamos en el lugar de los perdidos. En Daniel 9, Daniel se puso con la gente. Daniel tenia una vida de oracíon consistente que lo puso en contacto con una carga de esa hora. Esto lo causó que pagara el precio de la oracíon intercesora. Daniel 9:3 dice, "Y volvi mi rostro a Dios el Señor, buscandole en oracíon y ruego, en ayuno, cilicio, y ceniza". Los versiculos 5-20 dicen asi: "Hemos pecado... No hemos obedecido... contra ti pecamos... nos hermos rebeiado... y no odedecimos... contra El pecamos... y no hemos implorado... no obedecimos a su voz.... hemos pecado, hemos hecho impiamente... nuestros pecados... mi pecado..."

Vamos a orar la oracíon 'Nosotros' y a sentir la compasión que Jesus sintió cuando miro del Calvario y cargó el peso de los pecados del mundo. "Al que no conocío pecado, por nosotros lo hizo pecado, para que nosotros fuesemos hechos justicia de Dios en El" (II Corintios 5:21)

Oremos la oracíon "Nosotros".

CAPITULO 3

GANANDO ALMAS

Nada se pone más cerca del latido del corazón de Dios que ganar almas.

Díceles Jesús, Mi carne es que haga la voluntad del que me envió, y que acabe Su obra. ¿No dicen Ustedes: Aún hay cuatro meses hasta que llegue la siega?Perciben les digo, Levantan sus ojos, y miran las regiones; porque ya están blancas para la siega. (S. Juan 4:34-35)

Sí, cuando escogemos la manera de la águila, escogemos levantar nuestros ojos para ver la siega-la siega de almas— si sea nuestro vecino siguiente, gente a través del pueblo, gente en el pueblo vecino, o aun esos en otros estados o países lejos de nosotros.

En Marcos 8:22-26 Jesús sanó el hombre ciego de Bethsaida. Cuando Él había escupido sobre sus ojos y puesto Sus manos sobre él, Él le pidió si él veía algo. La respuesta del hombre era, "Veo los hombres que andan como árboles ." Luego, Jesús le puso otra vez las manos sobre sus ojos y le hizo que mirase; y fue restablecido,y vió de lejos y claramente á cada hombre.

Cuando levantamos nuestros ojos y permitimos la visión de

Dios venir sobre nosotros, veremos claramente. No clasificaremos gente en razas o posiciones. No veremos más la gente como José el panadero, Susana la cajera, o Roberto, el uno con quien fui a la escuela superior. Más bien, veremos almas como Dios nos habría verlas.

Una águila tiene la capacidad de enfocar sus ojos con una visión doble. La visión de la águila es excepcionalmente aguda porque cada ojo tiene dos "foveae"—las areas de visión aguda—as comparado con el ojo humano que solamente tiene uno. Los conos en los "foveae" de la águila son muy pequeños y estrechamente agrupados, permitiendo la águila ver detallas pequeñas desde distancias extremas. Por ejemplo, una águila puede reconocer un objeto tan pequeño como un conejo desde una distancia de casi dos millas. Por otra parte, un hombre tendría que mirar por un par de binoculares poderosos para ver la misma cosa.

Los ojos de la águila son puestos delanteros sobre la cabeza de la águila, dándolo la percepción de profundidad precisa. Esta es importante para una águila cuando él persegue la presa. La colocación de los ojos también permite que la águila vea cada lado. Esta visión periférica cubre casi 270 grados y 4½ millas cuadradas.

La águila puede enfocar en el conejo desde una distancia de dos millas y al mismo tiempo enfocar en un ratón corriendo por la hierba á lo lejos de veinte yardas. Esta capacidad asombrosa de visión doble en la águila puede compararse a la visión que necesitamos para ganar almas a través del mundo y para alcanzar una alma directamente á la próxima puerta o en nuestro trabajo.

Como el león se considera el "el Rey de las Bestias," la águila se considera "el Rey de los Pájaros." En el reino espiritual nuestra visión doble nos puede permitir reinar como reyes y príncipes y ser embajadores para Cristo, haciendo Su voluntad y terminando Su trabajo.

Proverbios 29:18 registra, "Donde no hay visión, la gente perece ..." Tenemos que proteger nuestra visión.

Como he declaradoanterioramente, cuando buitres atacan, van primero para la vista, para la visión. Pero hay una manera en que podemos proteger nuestra visión mientras pelear contra principados, potestades, espíritus—los buitres de este mundo—y la gente profana que no tienen fe.

La águila puede ver aún con los ojos cerrados. Además de su par normal de párpados la águila tiene una pareja de párpados claros llamado membranas "nictating". Estos párpados pueden estar cerrados para protección del viento, los aguiluchos hambrientos, o la violencia de una matanza sin afectar visión de la águila.

Cuando estamos peliando los principados, potestades, y los espíritus malvados y profanos en este mundo nosotros podemos proteger nuestra visión por guardar un corazón sensitivo á Dios por oración, ayuno y permaneciendo en Su Palabra. Su palabra debe ser nuestro balance y nuestro amor para Dios y gente debe ser nuestro móvil para alcanzar almas. Debemos proteger nuestra visión. No debemos crecer cansado en haciendo bien.

La águila es diferente de cualquier otro pájaro en su reacción a una tempestad.Cuando una tempestad surge, los otros pájaros buscan refugio, pero la águila, a causa de su fortaleza y las capacidades distintivas que Dios las había dado, vuela directamente en la tempestad, subiendo sobre los vientos turbulentos a una atmósfera más calma.

Además, podemos colocar nuestros cursos para pelear infierno y recibir victoria y todavía proteger la visión que Dios nos ha dado. No necesitamos temer problema o persecución mientras alcanzar almas porque Dios nos protegerá.

En Ecclesiastés 11:1-4 Solomón escribió,

Echa tu pan sobre las aguas: que después de muchos días lo hallarás. Reparte á siete, y aun á ocho; porque no sabes el mal que vendrá sobre la tierra. Si las nubes fueron llenas de agua, sobre la tierra: la derramarán, cayere hacia el sur, o al norte, al lugar donde el árbol cayere, allí quedará. El que al viento mira no sembrará; y él que mira á las nubes no segará.

No podemos permitir los vientos de desaliento, los vientos de persecución o las nubes de opresión impedirnos de ser ganadores de almas. Debemos echar nuestro pan sobre el agua que lo encontraremos después de muchos días.

Solomón menciona dar una porción á siete. Siete es un número de perfección; puede ser considerado un número de llegar. Él también dijo dar á ocho. Ocho es el número de comenzar nuevamente—yendo otra vez y dejar cada día anula el día anterior. Cada día es verdaderamente un día nuevo en Jesús.

Isaías 32:20 dice, "Bendecidos son los que sembran sobre todas los aguas, que meten en ellos los pies del buey y del asno." Esto refiere a los animales que se ponen abajo y que hacen el trabajo sucio y sudoroso—donde la goma encuentra el camino. El medio de la tempestad. Ésto es donde necesitamos estar en nuestro camino con Dios.

Los vientos turbulentos ocasionan la águila levantar más alto. Hay un poder tremendo levantando poder en los corrientes de vientos turbulentos. Estos corrientes ocasionan la águila alcanzar grandes alturas como él remonta con ellos. Los vientos turbulentos dan á la águila una vista más grande. Lo más alto que vuela la águila, vuela la más grande será su perspectiva de la tierra abajo. Desde esta posición alta los ojos agudos de la águila son capaces de ver mucho más.

Lo más batalla que peleamos, lo más comprender recibiremos y lo más seremos capaces de relatar con la gente y darlos el pan de vida que el Señor requiere que nosotros los demos.

Los vientos turbulentos frecuentemente levantan la águila arriba del acosamiento. A elevaciones más inferiores la águila se acosa frecuentemente por cornejas sospechosas, halcones discutados y otros pájaros pequeños. Como la águila remonta más alto él deja detrás todas estas distracciones. Cuando permitimos los vientos turbulentos de vida y las pugnas espirituales que vienen contra nosotros a simplemente levantarnos más alto sobre alas de ayunar, oración y determinación para hacer la voluntad de Dios, las alas nos levantan arriba las distracciones de estos elementos diferentes de vida y nos permiten ser más enfocado en alcanzar almas.

Los vientos turbulentos frecuentemente permiten águilas usar menos esfuerzo. Las alas de una águila son diseñadas para deslizar en los vientos. Las plumas que discutimos en Capítulo 2 se estructuran para impedir atascando, reducir la turbulencia y producir un paseo relativamente liso con el mínimo esfuerzo aún en vientos golpeados.

Los vientos turbulentos permiten la águila quedarse arriba más tiempo. La águila usa el viento para remontar y deslizar para períodos largos de tiempo. En el viento la águila primero desliza descendente en círculos largos y poco profundos y entonces espirales ascendentes con los corrientes térmicos.

También, los vientos turbulentos ayudan la águila volar más rápido. Normalmente, una águila vuela como 50 mph. Sin embargo, cuando él desliza en corrientes de viento no es infrecuente que su velocidad alcanza 100-150mph.

Podemos crecer tanto más rápido en la cara de resistencia. Si seríamos probos con nosotros mismos daríamos cuenta que crecemos el menor cuando estamos debajo la resistencia menor, y que crecemos lo más cuando la más resistencia está contra nosotros. II Corintios 4:16 nos cuenta, "Por tanto, no desmayamos; antes aunque nuestro hombre exterior se va desgastando, el hombre interior empero se renueva de día en día" Crecemos lo más cuando nuestro hombre exterior muere y nuestro hombre interior está siendo renovado.

El poder del Cristiano alzar arriba de presiones y las tentaciones viene por la muerte, entierro, y resurrección de Jesús. Pablo escribe, "A fin de conocerle, y el poder de su resurrección, y la camaradería de sus sufrimientos, siendo hecha conformidad Su muerte" (Filipenses 3:10). Debemos identificar con la muerte, entierro y resurrección de Jesús. (Este es el evangelio—el libro de Los Hechos evangelio—arrepentiendo para nuestros pecados, nuestros pecados siendo lavados en el bautismo de agua en el nombre de Jesús y recibiendo el Espíritu

Santo con la evidencia de hablar en otras lenguas.)

Sí, debemos alcanzar fuera para almas y ser ganadores de almas. He viajado mucho ambos en los Estados Unidos y en el eultramar y he encontrado que la gente realmente no se preocupen qué usted piensa, pero lo qué usted es los afectará. Mateo 5:13-16 dice,

Ustedes son la sal de la tierra: pero si la sal ha perdido su sabor, ¿con qué será salada? No vale más para nada, sino para ser echada fuera, y para ser pisado debajo el pie de hombres. Uds. son la luz del mundo. Una ciudad asentada sobre un monte no se puede esconder. Ni se inciende una lámpara, y se pone debajo de un almud, mas sobre el candelero; y alumbra á todos los que están en la casa. Así alumbre su luz tan brillante antes de los hombres, para que vean ver sus obras buenas, y glorifiquen á su Padre que está en el cielo.

Sí, debemos alumbrar nuestra luz brillar en la obscuridad de este mundo.

Zacarías 14:6-7 nos dice,

Y acontecera en ese día, no habrá luz clara, ni oscura: y será un día, el cual es conocido del Señor, aue no será día, ni noche: más acontecerá, que al tiempo de tarde habrá luz.

¡Piense en eso! El tiempo más desierto, más obscuro, es cuando la luz brillará lo más brillante. En el Hebreo original esa escritura dice, "Que será claro en algunos lugares y oscuro en otros lugares en el mundo ." Vivimos en tal día y tiempo. En algunos lugares, como en América, la luz brilla, pero hay algunos países que son todavía debajo obscuridad espiritual total. ¿Había usted alguna vez estado en tal una negrara obscura y denso ¿ la negrara que usted no podría ni ver la mano en frente de su cara? ¿Recuerda usted como se sintió perdido y confundido? Eso es cuan oscuridad espiritualmente algunas áreas del mundo son. ¡Debemos brillar como luces en el vespertino!

Déjeme darle algunos ejemplos de esta obscuridad espiritual. En algunas partes de Africa, si un doctor de bruja cree que el dios del río sea trastornado, él diría á las madres en el área tirar sus bebés al los cocodrilos.

Los Hindúes adoran la vaca brahma, creyendo que es un ente reencarnado de una vida anterior, o quizás un miembro de familia que ha vuelto en forma de una vaca. Ellos no matarán vacas o tampoco ratas, aunque inanición y pestilencia es corriente a lo largo de su país entero. Billy Cole una vez contó una historia de un tren de abonado que tuvo un ingeniero Hindú. El tren viajaba á gran velocidad y fue lleno de más de mil personas. El ingeniero Hindú vió una vaca brahma parada sobre las vías en frente de un puente. El podría continuar y golpear la vaca; habría habido simplemente un golpe pequeño. En vez, él tiró el tren en un resbalón, tratando de evitar la vaca porque era sagrado. Se acabó por tirar el tren fuera el puente, matando mil personas para ahorrar una vaca brahma. ¡Qué oscuridad espiritual!

Aquí en América tenemos la filosofía de Nueva Edad, la ciencia de la mente, y psicologías siendo enseñados en nuestras escuelas y colegios. Estas fijas de mente son demoníacos, ocultiaco, y llenos de brujería. Debemos en este tiempo vespertino brillar como luces. Debemos tener una carga y mostrar compasión. Es lo qué somos que sacude la gente, no lo qué decimos. Es nuestro contacto con Dios que los sacude.

Ganar almas no es realizado en la clase o el banco de iglesia, pero afuera donde los pecadores están. Debemos conseguirnos uno-en-uno con ellos. La iglesia nació en una llamarada de ganando almas personal; fue una operación casa-á-casa, y fe-á-fe.Una carga recibida debe ser transmitido, y su estilo de vida expresará cuan fuerte es su carga.

Había un soldado quien era un Cristiano que había marchado muchas, muchas millas. El había sido tratando de testimoniar á varios personas en el pelotón, especialmente un hombre quien era un valentón. Este hombre era especialment áspero y totalmente rechazaba el Cristiano. Por siete días seguidos, el pelotón había marchado 3½ millas cada día. Cuando el pelotón volvió a sus cuarteles después del séptimo día, todos fueron cansados. Inmediatamente todos comenzaron desvestirse y cayeron directamente sobre las caras sobre las camas y comenzaron a dormir. Este uno hombre joven, sin embargo, desató sus botas, dió vuelta, y arrodilló para gastar un poco tiempo en oración antes de que él descansó. El valentón á quien él había testificado lo vió allí arrodillandose y orando y en repugnancia él quitó una bota de combate pesado y sucio y la tiró al otro lado de la sala. La bota golpeó el hombre joven en la cabeza, pero él siguió orando. Entonces el valentón quitó su otra bota y con una maldición tiró lo, demasiado. La bota otra vez encontró su marca, pero todavía no había ninguna respuesta del hombre joven orando.

La próxima mañana, cuando despertó el valentón, él encontró sus botas puestos al fin de su cama, limpias y pulias. El fin de la historia es que el valentón llegó a ser un Cristiano, no a causa de lo qué dijo el hombre joven, pero a causa de lo qué él era. Dejó un impacto en la vida del otro hombre.

Una carga para alcanzar almas no es recibida en un día de ayunar, ni de estar cerrado en una alacena de oración, ni es recibido en una clase. Una carga se recibe fuera en el medio del herido y alboroto de este mundo—donde los pecadores están. Hay algo con respecto a tocar a la puerta de una familia para recoger un niño para la escuela dominical y verlo viniendo a la puerta empujando a un lado latas de cerveza, y encontrar su mamá y papá desmayados en el piso o descubrir que papá nunca regresó a la casa la noche anteriór. Una carga es recibido por ir a donde ellos son y viendo cómo y donde ellos viven. Este mundo necesita mundiales un evangelio uno-á-uno, no un evangelio gritado al mundo desde torres marfiles de espiritualidad, pero uno lo alcanzando con manos y corazones de compasión. Debemos buscar sentirlo que Jesús sintió cuando Él caminaba las costas de Galileo, oraba en el Jardín de Gethsemane, y colgó sobre la cruz al Calvario. Sí, debemos ser luces en el vespertino.

Una carga viaja con usted en todos lados y en todo momento. Debemos todos llevar una carga. S. Juan 11:35 dice, "Jesús lloró ." No creo que Él lloró a causa de la pena que él sintió para Lázaro, porque Él supo que Lázaro subiría nuevamente. Más bien, Él lloró por la gente porque ellos no comprendieron ni por qué Él había venido ni el poder de dar vida que estuvo en Él. Todos debemos llevar la carga que Dios ha puesto antes de nosotros. No simplemente unos aquí y allí, pero todos nosotros.

S. Lucas 5 dice que Jesús

> ...vió dos barcos que estaban cerca de la orilla del lago: y los pescadores, habiendo descendido de ellos, lavaban sus redes. Y entrado en uno de estos barcos, el cual era de Simón, le rogó que lo desviase de tierra un poco; y sentandose, y enseñaba desde el barco á la gente. Y como cesó de hablar, dijo á Simon, Tira á alta mar, y echa sus redes (plurales) para pescar. Y respondiendo Simón, le dijo; Maestro, habiendo trabajado toda la noche, nada hemos tomado; mas en Tu palabra echaré la red (singular). Y habiéndolo hecho, encerraron gran multitud de pescado: que su red se rompió. (S. Lucas5:2-6).

Jesús dijo redes mostrando que Él hablaba con todos los pescadores, pero solo uno de ellos, Simón, tuvo suficiente fe para obedecerle. Porque él era el único quien respondió en fe por dejar abajo su red, la pesca tremenda se perdió.

Muchos Cristianos gustarían relegar ganar de almas al departamento de la iglesia o a otros Cristianos, nunca dando cuenta que todos tenemos una responsabilidad para alcanzar almas.

Hay una diferencia vasta entre duda y increer. La duda dice, "yo sé que usted puede pero no se si usted hará ." Increer dice, "Usted no puede." Pedro tuvo duda. El dijo, "Maestro, habiendo trabajado toda la noche, nada hemos tomado. Mas, en Tu palabra echaré la red ." Pedro tuvo fe suficiente para obedecer y recibir su milagro, aunque él tuvo duda. Muchos de nosotros dudamos si tenemos la capacidad de ser ganadores de almas, cuando todo lo que Dios pida es que echamos nuestra red. No tenemos que ser profesionales a las escrituras; todo lo que necesitamos es tener una carga y un conocimiento del evangelio de Jesucristo.

Pablo escribió en Romanos 10:1, "Hermanos, ciertamente la voluntad de mi corazón y mi oración á Dios sobre Israel es para salvación." Pablo volvió su mundo al revés simplemente a causa de un deseo ver Israel salvado. ¿Qué podemos hacer con la misma carga para almas? Yo creo que nosotros también podríamos volver nuestro mundo al revés.

Mucho del renacimiento en el libro de Los Hechos vino por ministerio uno-á-uno. En Los Hechos 26:18, Jesús contó á Pablo que Su propósito para enviarlo era Para que abras sus ojos, para que se conviertan de las tinieblas á la luz, y de la potestad de Satanás á Dios, para que ellos reciban, por la fe que es en mí, remisión de pecados y suerte entre los santificados.

Es la untadura que destruye el yugo. Es la untadura de Dios que ayuda abrir sus ojos de las tinieblas á la luz, del poder de Satanás a Dios. Solamente Dios por Su Palabra y mediante Su Espíritu puede perdonar pecados.

Cuando uno ministra simplemente con una carga para la perdida, descubrirá autoridad y poder cierto en Él. Yo recuerdo gastar muchos años simplemente ganando almas—simplemente siendo en amor con Jesús y alcanzando para los almas en el ministerio de autobus, escuela dominical, iglesia de niños, el ministerio de prisión, ministerio de la enfermería doméstico, y el ministerio de universidad.¡Simplemente alcanzar almas! Pero era entonces que la autoridad dado por Dios de mi ministerio era desarrollado. Isaías 30:17 nos cuenta, "Un millar huirá a la amenaza de uno; á la amenaza de cinco huirá Uds. todos; hasta que se quedan como mástil en la cumbre de un monte, y como bandera sobre una cabezo ." Cuando usted escoja llegar a ser una luz, Dios da usted autoridad.

La cosa en que está lo más interesado al Señor es si nosotros somos buenos y fieles. No importa en cuántos países hemos viajados, cuántos libros hemos escritos, cuántos conferencias en que hemos predicados ni cuánta gente conoció nuestro nombre. Todo lo que quiere saber es, fueramos buenos y fieles á hacer Su voluntad—la voluntad que Él nos puso aquí en la tierra para hacer. En S. Mateo 25 Jesús contó la parábola de los talentos y dijo que el Señor dijo á su sirviente, "Bien hecho, buen sirviente y fiel: sobre poco has sido fiel, sobre mucho te pondré:: entra en el gozo de tu señor" (versículo 21). Dios es la mayoría interesado en nosotros siendo bueno y fiel-fiel en ganar almas.

Si supe que Jesús regresaría la próxima semana, no escogería ministrar de un púlpito, escribir un libro o artículo de revista, o grabar cintas y discos, o cualquier otro medio de alcanzar sobre un ministereo personal de uno-a-uno. Eso es donde usted afectará lo más gente en los más lugares.

Yo recuerdo un hombre quien soñó que él fue al cielo. A la puerta fue un ángel que esperaba dejarlo entrar. El ángel lo paró y le dijo, "Lo siento, pero usted tiene que dar una cuenta de su vida antes de que entra ." El hombre se sobresaltó y pidió, "¿Y qué de los diez libros que escribí?" La voz del Espíritu de Dios le contestó y dijo, "No sé. Nunca los he leído. ¿ Ha sido usted bueno y era usted fiel de hacer mi voluntad?" Eso es lo en qué Dios es lo más interesado—nosotros siendo buen y fiel de hacer Su voluntad.

Alguna gente siente que si ellos no viajan una distancia larga para llevar el evangelio, que ellos no están haciendo cualquier cosa útil. Sin embargo, Jesús nunca viajaba más allá de Su país, aún Su influencia es continuamente sentido a lo largo del mundo entero.

En Mateo 4:19 Jesús dijo, " Venga en pos de mí, y les haré pescadores de hombres ." Una señal buena que usted está siguiendo Jesús es que usted es un pescador, o cambiador, de hombres. Los políticos pueden reflejar las vistas de gente, pero los creyentes las cambian. Ser un pescador de hombres y deja la manera de la águila dar á usted la visión para ambos el hombre vecino de la próxima puerta y el hombre a través de las aguas.

Yo creo que las estrellas más nítidas que brillan al asiento de juicio de Cristo serán la corona del ganador de almas. Triste decir, muchos se conseguirán á aquel lugar y encontrarán que ellos no afanaron fielmente y ningún recibirá premio. Daniel 12:3 nos cuenta muy simplemente, "Y los entendidos resplandecerán como el resplandor del firmamento; y los que enseñan á justicia la multitud, como las estrellas á perpetua eternidad."

Mateo 9:36-38 refleja tan hermosamente la carga que sintió Jesús y la compasión que Él llevó. Versículo 36 dice, "Y viendo las multitudes, Él se movió con compasión de ellos ..." Esa porción pequeña de escritura es una manera tremenda para definir una carga: siendo movido con compasión. El pasaje continua á decir,

> ...porque desmayaron, y esparcidos, como ovejas que no tienen pastor. Entonces dice Él á sus discípulos: A la verdad la mies es mucha, mas los obreros pocos; Oran, pues,al Señor de la mies, que Él enviará obreros á su mies.

¡Debemos ser ganadores de almas! Es una hora deseperada y requiere medidas deseperadas. "Que si nuestro evangelio está aun encubierto, entre los que se pierden está encubierto." (II Corintios 4:3). Debemos compartir el evangelio. No debemos pararnos antes de Él en aquel día manivacío.

Debemos afanar fielmente como Él nos ha instruido porque cuando Jesús alcanza afuera Él lo hace por Sus manos, por Sus pies, y por Su cuerpo—nosotros. En la historia de los negociaciones de Dios con Su gente, Dios ha sido capaz de afectar y aun turnar una nación entera á Él por los esfuerzos de simplemente un hombre. Nóe era usado por Dios para construir un arca para ahorrar el reino animal y esos en su familia quienes creyeron la palabra de Dios. Daniel, en un tiempo de apostacia, por ayunar y orración, recibió el comprender espiritual que las setenta semanas para hacer reconciliación para la iniquidad eran pasadas y que el tiempo para reconstruir de la pared había llegado. Las oraciones de Job pusieron un cercado alrededor sus niños, y si Dios no había permitido el enemigo romper el cercado, las bendigas sobre sus niños habrían continuado. Aunque cada de estos hombres era aparentemente usado por Dios como un " superhéroe" en su día y tiempo, Dios es simplemente buscando alguien quien simplemente hará sí mismo disponible a Él .

Ezequiel 14:14 nos cuenta, "Si estuvieron en medio de ella, estos tres de hombres, Nóe, Daniel, y Job, ellos por su justicia libraráa su vida, dice el Señor Dios." El día de super estrellas se acabó. Dios simplemente busca un cuerpo que ministrará debajo el poder de Su untadura y en el poder de Su Espíritu. Efesios 5:30 dice, "Porque somos miembros de su cuerpo, de su carne, y de sus huesos." Colosenses 1:18 nos cuenta, "Y él es la cabeza del cuerpo, que es la iglesia ... ." Cuando el cuerpo comienza a agarrarse al ministerio untado, entonces la cabeza conseguirá la gloria por lo que hace el cuerpo. Entonces, Dios nos confiará nuevamente con lo más grande y lo mejor.

En Isaías 42:8 Dios dice, "Yo soy el Señor; este es mi nombre: á otro no daré mi gloria... ." Las obras más grandes de Dios serán hechos cuando el cuerpo simplemente trabaja en la sombra de la cruz y en el fondo de Su amor, dando toda la gloria a Dios para cada alma que se arrebata de las llamas quemadoras de infierno. Proverbios 11:30 nos cuenta, "El fruto del justo es árbol de vida; y él que prende almas es sabio ." Este es el latido del corazón de Dios. Otra vez digo, una carga es únicamente transmitida. Jesús transmitió Su carga. En Lucas 9:1 cuando Él envió Sus discípulos, Él los envió de casa a casa. Pablo en los Hechos 20:20 habló de su ministerio de la casa a casa siendo lo más efectivo. I Juan 2:6 nos cuenta que deberíamos caminar "como Él anduvo." Sí, el Espíritu y la novia dicen "Venga"—el Espíritu es dispuesto, pero ¿está lista la novia? Debemos trabajar juntos. Debemos trabajar juntos para agarrar el ministerio de maternidad.

Isaías pregunta,

Antes que estuviese de parto, parió; antes que viniesen dolores parió hijo. ¿Quién oyó cosa semejante? ¿ Quien vió tales cosas? ¿Parirá la tierra en un día? ¿nacerá una nación de una vez? Pues en cuanto Sión estuvo de parto, parió sus hijos. (Isaías 66:7-8)

Renacimiento no viene por métodos o programas pero mediante una carga recibido en oración interpuesto y por brechar en la guerra espiritual por oración y ayunar. Cada obra nueva impezado y cada territorio nuevo entrado para alcanzar nuevos almas debe ser precedido por oración interpuesto. Usted no necesita un programa, no necesita el conocimiento ¡todo lo que es necesario es una carga de ganar almas!

En Filipenses 3:13 Pablodice, "una cosa hago," significando su dirección enfocada y dedicación á hacer el trabajo de Dios sin ser distraido por las cosas que este mundo tuvo que ofrecer. En II Corintios 11:3 Pablo escribió, "Mas temo, que como la serpeiente engañó a Víspera con su astucia, sean corrompidos así nuestros sentidos en alguna manera, la simplicidad que es en Cristo." "Simplicidad" en el Griego originale significa "únanimamente, fidelidad, lealtad a Cristo ." Sí, tenemos que guardar intacto en nuestras vidas esa únimamente foco en alcanzar almas. No debemos llegar a ser tan embriagado con las hazañas de nuestra vida, el éxito de nuestro ministerio, o los bendigos de Dios que olvidamos la razón principal por qué hacemos lo que hacemos—¡á alcanzar almas y esparcir el evangelio de Jesucristo! Yo creo que esto es por qué Santiago escribió, " Sepa que el que hubiere hecho convertir al pecador del error de su camino, salvará un alma de la muerte, y cubrirá multitud de pecados" (Santiago 5:20). Qué cosa poderosa para saber: cuando usted alcanza un alma usted es literalmente salvando un alma de la muerte.

I Timoteo 4:16 registra, "Ten cuidado de tí mismo, y de la doctrina, persiste en ellos: pues haciendo esto á ti mismo salvarás, y á los que te oyeren." Debemos ser muy seguros que nuestra doctrina es sana y segura. La doctrina, la allanza del

Espíritu, es arrepentirse, bautismo de agua en el nombre de Jesús Cristo para la remisión de nuestros pecados y recibir el Espíritu Santo mediante la evidencia de hablar en otras lenguas. Debemos agarrar el ministerio de maternidad e ir adelante hablando la verdad en el amor. No podemos nunca subestimar el poder del ministerio de maternidad.

En Jueces 5:6-7a un retrato muy despreciable se pinta:

En los días de Samgar, el hijo de Anath, en los días de Jael, cesaron los caminos,y los que andaban por las sendas apartábanse pro torcidos senderos. Las aldeas habían cesadas en Israel, habían decaído ....

El Hebreo lee originalmente, "En los días de Samgar el hijo de Anath, en los días de Jael, las trayectorias cesaron y esos yendo en las trayectorias viajaron en maneras tramposas. Los líderes cesaron en Israel ." ¡Fija en eso! La gente no caminaban en trayectorias que ellos deberían haber caminar. Más bien ellos caminaban en maneras tramposas. Ni siquiera la presencia de dos hombres potentes de Dios—Samgar, quien había matado 600 hombres con una puya de buey, y Jael-no podría cambiar la situación. La escena es depresiva "hasta," el versículo 7 dice, "que yo Debora, me levanté, me levanté madre en Israel ." Cuando agarramos el ministerio de maternidad, entonces comenzaremos á ver las situaciones de vida alrededor cambiando. Eso es cuando comenzaremos ver el Señor hacer las obras que Él para tanto tiempo había prometido que Él desempeñaría.

En I Corintios 4:15-16 Pablo habla de instructores y padres. Un instructor en el original es simplemente un niñero o "uno quien toma un niño a la escuela ." Él sería algo parecido a un conductor de autobús cuyo la responsabilidad es solo a brevemente recobrar o dejar un estudiante, sin tener interés verdadero o ser envolvido en la vida del estudiante. El padre, sin embargo, es el uno quien lo funda, el uno quien nace, y el uno quien convierte y lo da fundamento á su niño, teniendo mucha responsabilidad y mucha envolvimiento. Así Pablo escribe, "Porque aunque tienen diez mil avos en Cristo, no tendrán muchos padres: que en Cristo Jesús yo les engendré por el evangelio. Por tanto, les ruego, que sean seguidores de mí ."

En otras palabras, Pablo decía, "Mira mi ejemplo. Mira como he tomado el ministerio de la maternidad y fui ganador de almas personal ." Estamos también amonestados en I Juan 2:6, "El que dice que está en él (Jesús) debe andar como él anduvo." Comprende, el ministerio de la maternidad es un afán. Es un proceso de nacimiento. Es un ministerio de cuidado intensivo. Usted nunca tomaría un niño de recién nacido, cortar su cordón umbilical y tirarlo fuera en el frío y contarlo, "Allí, simplemente vive ." Más bien usted pasa tiempo nutriendo, alimentando, y trabajando con el niño. Yo creo que es lo qué Pablo quería decir cuando él escribió en Gálatas 4:19, "Hijitos míos, que vuelvo otra veq á estar de parto de ustedes, hasta que Cristo sea formado en ustedes ." El no simplemente afanó en nacimiento una vez, pero afanó hasta que Cristo estaba formado en cada persona. Eso toma cuidado intensivo. Esa toma un tiempo largo de virtud. Sí, debemos andar la manera de la águila porque eso fue la manera que Jesús anduvo. Él anduvo con visión y con carga. Como Él anduvo Él era muchas veces movido con compasión para las multitudes. Movido con compasión para sus necesidades. Movido á alcanzar para ellos.

No solamente fue Él interesado en esos quienes Lo apiñaron, pero Él también sintió una carga para esos en los próximos pueblos así como también esos en el otro lado del mundo. Marcos 1:35-38 dice,

Y levantándose muy de mañana aun muy de noche, salió y se fue á un lugar desierto, y allí oró. Y Le siguióSimon y los que estaban con él . Y hallándole,le dicen: Todos te buscan. Y les dice; Vamos á los lugares vecinos para que predique también allí, porque para esto he venido.

Sí, Jesús tuvo la carga y anduvo la manera de la águila. Él

tuvo esa visión que puede cuidar, mostrar compasión, y alcanzar a las necesidades presenta alrededor Él, así como también alcanzar esos en otras ciudades. El tuvo la visión para lejos. Debemos andar como Él anduvo. Debemos tomar y seguir la manera de la águila.

Cuando los Indios Americanos caminarían por bosques en grandes números, ellos caminarían de reata, cada Indio poniendo su mocasín en el lugar exacto donde el Indio previo había caminado. El enemigo vea el estampado y diría, "Un Indio ha pasado por aquí," nunca daría cuenta los números. El enemigo veía la impresión y diría, "Un Indio ha pasado por aquí," nunca realizando los números. El enemigo puede manipular uno o dos de nosotros caminando la manera de la águila, pero dejar el cuerpo caminar como Jesús caminaba y él nunca sabrá lo qué le golpea hasta que sea demasiado tarde.

Sí, debemos caminar como Él caminaba y escoger la manera de la águila. Éxodo 19:4 nos cuenta como el Señor sostuvo los Israelitas sobre alas de águilas y los trajo hasta Sí mismo fuera de Egipto. Nosotros, también, podemos alcanzar para almas perdidos, sosteniéndolos sobre las alas de una águila y ponerlos a los pies de Jesús.

EL CAPITULO 4

EL BALANCE DE LA PALABRA Y ALIENTA

Debemos tener un balance de la Palabra y el Espíritu. Es desesperadamente necesario que permanecemos equilibrados en la vida. Juan 4:24 registras, Dios es espíritu: y los que le adoran en el espíritu y en verdad es necesario que adoren. Debemos tener ambos espíritu y verdad. O Palabra sin Espíritu o Espíritu sin Palabra es una combinación muy peligrosa. Tenemos que conseguir los dos para tener ambos para tener balance en el reino espiritual.

El balance de espiritualidad no es carnalidad o la mundanalidad, pero la Palabra de Dios que es "...más penetrante que toda espada de dos filos, y que alcanza hasta partir el alma y aun el espíritu, y las coyunturas y tuétanos, y descierne los pensamientos y las intenciones del corazón." (Hebreos 4:12).

Recuerde mi ejemplo en Capítulo 1 de los dos componentes venenosos, sodio y el cloro, cuales, cuando fusionado crean sal de mesa. Si uno tiene toda Palabra, se seca completamente. Si uno tiene todo Espíritu, se hace saltar. Si uno tiene el balance correcto de Palabra y Espíritu, entonces crece arriba. "Antes, siguiendo la verdad en amor, crezcamos en todas cosas, en aquel que es la cabeza, á saber Cristo" parejo (Efesios 4:15). Déjanos crecer en el balance de Palabra y

Espíritu.

Las águilas conyuguen para la vida y volverán muchas veces al mismo nido año después de año aun el nido en donde eran nacidos. Un pareja de águilas fue observado por 35 años en el mismo lugar. Su nido creció á ser veinte pies de hondo y 9 pies de un lado al otro.

Una de las razones para este fenómeno es que una águila tiene "pectens" detrás de sus ojos. Las "pectens" de una águila joven son muy flexibles-hechos de una composición casi como jalea. Pero como una águila crece más viejo los "pectens" crecen aristado y fijado en su relación con el Polaco Norte. Si la águila comienza a extraviarse demasiado lejos de sus terrenos sementales, el tirón gravitatorio del Polaco Norte ocasiona un dolor intenso en su cabeza. La única manera que él puede hallar alivio es por volver a sus terrenos sementales.

Cuando hemos sidos construidos sobre la fundación de la Palabra de Dios, a cualquier hora que empezamos a extraviar nos sentiremos esa convicción del Espíritu Santo adentro. La Palabra que es el canal por cual el Espíritu puede fluir nos retorna a nuestros terrenos sementales. Nos traerá nuevamente al lugar de verdad y estabilidad.

¡ Gracias á Dios para Su Palabra! ¡Es tan poderoso! Su Palabra sana (Salmo 107:20). Su Palabra es nuestra espada (Efesios 6:17). A la voz de Su Palabra, los ángeles son liberados para operar (Salmo 103:20). Su Palabra es el arma que Jesús usó en batallas espirituales (Mateo 4:1-11) Jesús no usó fortaleza sobrenatural, sino dijo simplemente, "Está escrito...."

Debemos confiar en Su Palabra, no nuestro razonamiento propio que es endeble contra la astucia del enemigo. Satanás ha tenido millares de años para aprender como engañar hombre. Varona razonó en el jardín y perdió. Debemos confiar en la Palabra y llegar a ser totalmente dependiente en ello, porque se ha sido probado y se ha sido probado cierto (Salmo 12:6 y Proverbios 30:5).

En el medio de tiempos cambiandos la Palabra de Dios

permanece el mismo. Su Palabra nos condena (II Crónicas 34:1-19). Su Palabra nos da dirección (Salmo 137:31). Su Palabra nos protege y nos prospera (Salmo 1:1-3). debemos amar Su Palabra más del sueño (Salmo 119:148), más del alimento (Job 23:12), y más de riquezas (Salmo 119:72). Su Palabra es lo que nos juzgará (Juan 12:47-48, II Corintios 5:10).

La Palabra de Dios no es un libro teológico, sino que un libro espiritual. Puede únicamente ser entendido mediante el Espíritu.

La Palabra es eterna en duración, inexpressable en valor, vida-cambiando en poder, infalible en autoridad, y personal en aplicación. A lo largo de edades, hombres han tratado de destruir la palabra pero no podrían. Han quemado la Biblia por millares pero la Palabra de Dios ha seguido viviendo todavía. "El cielo y la tierra pasarán, pero mis palabras no pasarán." (Mateo 24:35). La Biblia que amamos- todo 66 libros, 1,189 capítulos, 31,175 versículos, 810,697 palabras, y 3,506,480 letras de ella es una lámpara á nuestros pies y una luz á nuestro camino (Salmo 119:105).

En el año 697 B.C., Manessah quizo destruir la Palabra, pero setenta años luego Oseas redescubrió una copia de la Palabra y trajo renacimiento. En el año A.D. 303, el Emperador Romano, Diacrecian, ordenó que la Palabra sea destruido y cada persona quien poseyó una Biblia ser matado. Pero entre unos pocos años él cometió suicidado y la Palabra siguió viviendo.

El Emperador Voltaire, quien murió en el año1788, una vez dijo, "Cien años desde mi día no será ni una Biblia en el mundo, pero unos aquí y allí solamente para los buscadores de curiosidad de antigüedad." Este infidel también dijo, "Veo el crepúsculo de Cristianidad." Sin embargo, años después de la predicación de Voltaire, una copia de primera edición de sus obras se vendió para once centavos en un mercado en París. El mismo día, el gobierno Británico pagó el Zar de Rusia $500,000.00 para el Códice Sedactirius, una copia de la Palabra descubierta por Tischendorf en un monasterio sobre Monte Sinai. Sí, la Palabra de Dios sigue viviendo.

Otra vez indicar que la águila tiene nueve plumas sobre cada punta de ala y cinco plumas de cola, puesto allí para un porpósito ordenado de Dios. Estas plumas desempeñan un papel mayor en el poder y en la estabilidad de la águila en vuelo. Aire pasa más rápidamente sobre la cima de las alas que debajo el fondo, así creando elevación. La diferencia entre estas dos velocidades de aire ocasiona un remolino hilando de aire para formar cerca las puntas de ala, creando una arrastra. Normalmente, eso retardaría la águila, pero porque él tiene nueve plumas en las puntas de ala, nueve pequeños torbellinos se forman en vez de simplemente uno grande. Como ellos expanden, las corrientes hilando chocan y anulen el efecto de arrastra, así permitiendo que la águila vuela casi indefinidamente.

Estas nueve plumas sobre cada ala que proveen un vuelo poderoso y equilibrado pueden ser asemejadas á los nueve dones del Espíritu y las nueve frutas del Espíritu. Las cinco plumas de la cola que asisten en dirección y control de su vuelo pueden ser asemejadas al ministerio de cinco obras.

Los nueve dones del Espíritu se enumeran en I Corintios 12:8-11:

Porque á la verdad, á éste es dada por el Espíritu la palabra de sabiduría; a otro la palabra de ciencia según el mismo Espíritu; a otra fe por el mismo Espíritu; y a otro dones de sanidades por el mismo Espíritu; a otro operaciones de milagros; y a otro profecía; y a otros discreción de espíritus; y a otro, géneros de lenguas; y a otro interpretación de lenguas: Mas todas estas cosas obra uno y el mismo Espíritu, repartiendo particularmente á cada uno como quiere.

Encontramos el ministerio de cindo obras en Efesios 4:11-12:

Y él mismo dió unos ciertamente apóstoles; y otros, profetas; y otros, evangelistas; y otros, pastores y doctores;

para perfección de los santos, para la obra del ministerio, para la edificación del cuerpo de Cristo.

Es interesante como el Griego original lee,

Y él mismo dióunos apóstoles, y unos profetas, y unos evangelistas, y unos pastores, y profesores con una vista á la perfección de los santos, para la obra de servicio, para construir el edificio del cuerpo de Cristo.

Cada oficina tuvo una vista cierta en que sola podría operar. Es nuestra pérdida si no permitimos ningún de estas oficinas operar en nuestras vidas, en nuestros ministerios, o en nuestras iglesias.

Según el Diccionario Griego de Strong, un *apóstol* es "un embajador del evangelio encargada de Cristo con poderes milagrosos." Un *profeta* es "uno quien tiene penetración en cosas divinas y los habla adelante á otros; uno quien muestra o confirma un corazón." Un *evangelista* es un predicador del evangelio." Un *pastor* es "un director." Un *profesor* es "un instructador."

Déjame comenzar una discusión de los dones del Espíritu por indicar que los dones muestran el poder de Dios mientras que la fruta muestra el carácter de Dios. Hay algo del poder de Dios con que Él no nos puede confiar si no tenemos Su carácter. Para tener más de la operación del poder de Dios en nuestras vidas, debemos primero buscar Su carácter.

Déjanos comenzar a mirar á los nueve dones por quebrarlos entre tres categorías: La primera categoría puede

ser marcado como *los Dones de Hablar*, que incluye lenguas, interpretación de lenguas y profecía. La segunda categoría es *los Dones de Saber*, incluyendo la palabra de sabiduría, palabra de conocimiento, y discerniendo de espíritus. El tercero es *los Dones de Poder*, incluyendo el don de fe, el don de sanando, y el obrando de milagros.

Las garras de la águila cuando han agarrado su presa, no

pueden ser liberadas a menos que ellas son provocadas por presione en el medio, lo cual se ocasiona por aterrizar sobre una rama o piedra. Asimismo, nosotros debemos conseguir una agarrar sobre este reino Espíritual y debemos escoger cruzar el punto de no regresar hasta la dimensión del sobrenatural. Una vez por lo menos que lo hemos retenido, ¡no podemos dejarlo caer hasta que venga Jesús! No hay manera fácil fuera de esta cosa. Una vez que cruza el punto de no regresar en la dimensión de operar en el Espíritu de Dios, no hay retornar. No debemos dejar unos pocos tenernos alejado de obedecer Dios. Muchos ministros han dicho, "O, Yo no operaría como eso. Los hombres podrían crucificarle por eso." Debemos decidir, "¿Queremos obedecer Dios en renacimiento apostólico o queremos agacharnos en temer de hombres?" Sí, debemos agarrarlo y escoger la manera de la águila.

LOS DONES DE HABLAR

El primer Don de Hablar, el don de lenguas, es probablemente el don más fácil a reconocer en operación. Las lenguas da un mensaje en otra lengua que muchas veces precede un interpretación-no un traducción de esa lengua. Muchas veces cuando los Cristianos nuevos buscan a desarrollar la operación de los dones, el primer don en que ellos operan es lenguas. La fruta que equilibra es *fe*. Toma fe simple para caminar fuera y creer que Dios le está usando en este reino. Para caminar fuera y operar en lenguas simplemente necesita tomar la operación de la fruta de fe.

Hay dos operaciones de diversos, o diferentes, tipos de lenguas. El primer tipo edifica la iglesia, el segundo edifica el creyente personalmente.

(No confunde hablando en lenguas cuando usted primero recibe el regalo del Santo Espíritu con el don de los tipos diversos de lenguas. Ellos son dos cosas diferentes.)

Pablo dijo,

Siga la caridad, y procura los dones espirituales, mas sobre todo que profetiza. Porque él que habla en lenguas desconocidas no habla á los hombres, sino á Dios: porque nadie le entiende; aunque en el espíritu hable misterios. Mas él que profetiza habla a los hombres para edificación, y exhortación, y consolación. El que habla lengua desconocida, á sí mismo se edifica, mas él que profetiza edifica á la iglesia ...Porque usted, á la verdad, bien hace gracias; mas el otro no es edificado. Doy gracias á Dios, que hablo lenguas más que todos ustedes.... Así que, las lenguas por señal son, no a los fieles, sino á los infieles: mas la profecía, no á los infieles, sino á los fieles. (I Corintios 14:1-4,17,18,22).

Se encuentra balance cuando aprende cuando el don opera para la edificación de la iglesia y cuando opera para el edificación del creyente. Han sido tiempos cuando un Cristiano joven o un creyente se ha puesto de pie en el medio de unmovimiento imponente del Espíritu de Dios y había dado un mensaje en lenguas, sin dar cuenta que no era el tiempo para la operación del don de lenguas. Más bien, lo qué él sentía era el Espíritu que acelera adentro de él-que él estaba siendo bendecido sí mismo. Lo qué este creyente necesita aprender es sentarse inmóvil y permitir el Espíritu operar en cualquiera manera que está moviendo. Frecuentemente, el Espíritu puede ser moviendo en la operación del don de fe, pero si todo lo que sabe un Cristiano es el don de lenguas, cuando el Espíritu de Dios golpe á una congregación, ese uno saltará a sus pies y tratar de ser el primero a dar el mensaje de lenguas.

Los Romanos 8:26 dice,

Y asimismo también el Espíritu ayuda nuestra flaqueza: porque qué hemos de pedir como conviene, no lo sabemos; sino que el mismo Espíritu pide por nosotros con gemidos indecibles.

Hay un tiempo para orar en lenguas para su propia edificación y fortaleza, pero esto debe hacerse en su propio tiempo personal de oración.

Cuando el Señor decide operar en el don de lenguas en la iglesia para bendecir y edificarlo, entonces aquella operación de lenguas debe ser seguida por una interpretación, que es el segundo de los Dones de Hablar.

Una interpretación no es una traducción, sino que da el tema general de lo qué Dios ha dicho. Es general, no literal. Dios usará cada personalidad así como el nivel de vocabulario en que cada persona es capaz de operar. Mire Isaías. Sus profecías fluyen con la poesía hermosa. Entonces mira al profeta Amós, y encontrará que sus profecías son muy despuntado y frecuentemente redundantes. ¿Por qué? Porque Dios no despoja el hombre de su personalidad para usarlo. Dios usará la embarcación que hace sí mismo disponible. Un ejemplo bueno de interpretación de lenguas: cuando las lenguas vienen adelante, son seguidos inmediatamente por la idea general de lo qué Dios trata de decir. Hay veces cuando las lenguas serán muy cortas, mientras que la interpretación será muy larga. Es porque la interpretación no es la traducción, simplemente la idea general.

Ahora la fruta que equilibra el don de interpretación de lenguas es la templanza.Cuando interpretando las lenguas, usted debe reconocer cuando el Espíritu está acabado-no continue en su propio espíritu. Su templanza permitirá otros ejercitar el don que Dios quiere usar en ellos. No sea arrogantes o dominante. Pablo habló de esto en I Corintios 14:30-31 "Y si á otro que estuviere sentado, fuere revelado, calle el primero. Porque pueden todos profetizar uno por uno, para que todos aprenden, y todos sean exhortados." La templanza se necesita desesperadamente en la operación de este don.

El tercero de los Dones de Hablar es la profecía. El don de profecía puede definirse como "niveles de más abajo de exhortar, edificar, palabras de cómodo."

Hay básicamente tres dimensiones de profecía. La primera

dimensión es una oficina-la oficina del profeta. Esta es una faceta específica del ministerio de cinco obras. Los profetas nacen no por la elección humana o la fuerza de voluntad, ni por oración, ayuno y torcedura del brazo de Dios, pero por la dirección divino del Espíritu de Dios y Su voluntad perfecta. Dios escoge desde el tiempo que entramos en el útero de nuestra madre lo qué seremos y lo que nuestros llamamientos y nuestras untaduras serán. Jeremías 1:5 apoya esto: Antes que te formé en el vientre,te conocí; y antes que sakieses de la matriz santifiqué, y te dí por un profeta á las naciones."

II Timoteo 1:9 también dice que nuestra llamamientos son según la voluntad divina y el propósito de Dios: "Que nos salvó, y llamó con vocación santa, no conforme á nuestrás obras, mas según el intento suyo y gracia, la cual nos es dada en Cristo Jesús antes de los tiempos de los siglos." Fija que Su llamamiento no es según nuestras obras, pero según Su propósito propio y gracia, o Su favor inmerecido.

Toma muchos años a probar un profeta. Un profeta está untado con la autoridad a guiar, instruir, reprender, revelar, juzgar, imprimir, traer a nacimiento las palabras, y activar, pero nunca para conducir. El profeta debe quedarse en su llamamiento o él destruirá de sí mismo.

La segunda dimensión es el Espíritu de profecía. El Espíritu de profecía descenderá sobre un predicador, un profesor, o tal vez un escritor de canciones. Muchas canciones han sidos escritas debajo el Espíritu de profecía. Muchos hombres de Dios han dado una palabra de las escrituras que revelaron expresiones proféticos inauditos. I Pedro 4:11 dice, Si alguno habla, hable conforme á las palabras (el portavoz) de Dios...." Esto es como ministerio en o palabra o canción se levanta a un reino de profecía.

La tercera dimensión es el don de profecía. Es uno de los nueve dones en que el cuerpo entero de Cristo puede operar mientras que son llenos del Espíritu Santo. Esta dimensión únicamente opera en y comforta la iglesia en general. Es nunca para dar dirección, el juicio, instrucción, o reprender. Es para fomentar, elevar, fortificar y edificar.

El balance de profecía es la fruta de alegría. No necesitamos siempre un día del juicio final o mensaje negativo. Muchas veces profecía puede ser una bendición, una fortaleza, un aliento, o una edificación-alguna cosa levantada que traerá alegría a los corazones de los oyentes. Por lo tanto, la alegría es una fruta desesperadamente necesitada para la operación del don de profecía.

Estas últimas dos dimensiones no quiere decir necesariamente que la persona siendo usada es un profeta, más bien que él es simplemente operando en dones que fluyen por el cuerpo entero de Cristo.

LOS DONES DE SABER

La segunda categoría de los dones es losDones de Saber. Contiene la palabra de conocimiento, la palabra de sabiduría y discernir de espíritus.

La palabra de conocimiento es frecuentemente confundido con la palabra de sabiduría. La palabra de conocimiento es un intendimiento divino sobre de situaciones o cosas en la vida que únicamente Dios le podría dar á usted. No es todo conocimiento pero más bien una palabra de conocimiento que Dios da á usted. Algunas cosas no pueden ser conocido por estudiar, pero Dios puede revelarlos por el intendimiento del Espíritu. La palabra de conocimiento es equilibrado por la fruta *de benignidad.* No debemos nunca revelar insensitivamente lo que estamos dados para dañar e intimidar otros o para marcar puntos para nosotros mismos. Debemos permitir nosotros mismos quedarnos sumiso y cortés.

Ignorancia y la inmaturidad sobre nuestra parte puede lastimar definitivamente ambos nosotros mismos y otros, pero una palabra cierta hablado por un profeta cierto de Dios llevará á sí mismo con el poder a activar y traer nacimiento a sí mismo.

I Thessalonicenses 5:20-21 nos da algun intendimiento simple sobre recibir una palabra de conocimiento: "No menosprecia las profecías. Examinalo todo; retenga lo bueno" Debemos simplemente dar la palabra como la recibimos del Señor, nunca agregandola, ajustandola, o restando de ella para hacerla tener sentido. Han sido muchas veces que Dios me ha hablado una palabra para dar a la gente, aún la palabra no tuvo sentido. Sin embargo, cuando di la palabra, trajo tal poder y intendimiento a las situaciones.

Una vez cuando estuve en un renacimiento en Cleveland, Ohio, hablé una palabra de conocimiento al pastor y su esposa quienes querían un niño. Ellos habían estado tratando de tener uno por cinco años y no habían sidos capaz de tener niños. Hablé la palabra que en nueve meses ellos llevarían dentro de sus brazos una niña rubia. Cierto a la palabra, una niña hermosa nació en esa familia. Esto no podría ser conocido naturalmente. Unicamente Dios podría revelarlo supernaturalmente.

He aprendido confiar por fe hablar la palabra de conocimiento y a confiar que el Señor traerá lo demás. En este reino usted debe quedar simple e humilde antes del Señor, porque usted camina por fe y es constantemente un paso lejos de humillación total. Ignorancia e inmaturidad en este reino verdaderamente duelen.

Algunos desarrollan sus sentidos para operar solo en la palabra de conocimiento o la palabra de sabiduría. Ellos ni buscan los otros dones ni desarrollan un ministerio de la Palabra. Como resultado, ellos hablan palabras demasiado pronto y no son sensible a o esperar el delantero del Espíritu o escuchar a la palabra de saabiduría a contarlos cuando operar. Este tipo de ignorancia lastima. Pablo escribió en I Corintios 12:1, "...no quiero, hermanos, que sean ignorantes." I Corintios 2:10-16 nos dice que la sabiduría escondida de Dios es revelado mediante el Espíritu, no por estudiar o capacidad humana. Las cosas del Espíritu son la necedad a la mente natural. Esto es por qué es posible ser bendecido en un servicio y recibir una palabra de conocimiento, o quizás un sanando, pero entonces salir del servicio y ser sacudido por la voz de razón y duda, ocasionando que perdamos nuestro milagro.

Debemos caminar por fe y no por vista. La operación de la revelación del Espíritu es un reino peligroso pero importante. Es peligroso porque palabras dadas pueden repartir con el pasado, el presente o el futuro. Un hombre de Dios podría faltar Dios por recibir una palabra precisamente, pero malinterpretado o aplicado incorrectamente lo que Dios dijo. Jeremías 23:28 nos cuenta, "...y aquel con quien fuere mi palabra, cuente mi palabra verdadera..."exactamente como es.

Oración y ayuno son nuestra única protección en este reino. Ellos nos dan una sensibilidad para reconocer la voz de Dios sobre todas otras voces. Un ministro profético debe de ser muy cuidadoso a nunca permitir su espíritu humano impedir con lo que el Espíritu Santo trata de decir o hacer. Es fácil a malentender mal este reino. Aunque el don es perfecto, nosotros no somos perfectos. Dios debe fluir por vasijas de arcilla.

Un ejemplo bueno del operación de la palabra de conocimiento está en Los Hechos 9:15 donde el Señor contó Ananías que Pablo era una vasija elegida, aun antes que él recibió el Espíritu Santo. Si Ananías había vivido en nuestro día, él probablemente se marcaría como un profeta falso por repetir tal cosa, porque era más de tres años antes de que Saul siempre comenzó a alcanzar los Gentiles. (Gálatas 1:18 nos cuenta que Pablo gastó tres años en el desierto árabe .) Vivimos en una sociedad de microonda. Queremos cosas ayer. Muchas veces en la Palabra el Señor dijo,"He aquí que vengo pronto" o "Vengo pronto." Y dos mil años han pasados. Tenemos que ser muy cuidadoso antes que ponemos etiqueta alguien un profeta falso simplemente porque una palabra no aplica aparentemente a ese momento o no viene a pasar inmediatamente. Solamente cinco por ciento de lo que Dios revela se está hablado siempre públicamente. El otro 95 por ciento es simplemente para que usted lo sabe.

La palabra de conocimiento, la palabra de sabiduría, y discernir de espíritus-esta dimensión de los Dones de Saber-

debe estar usado muy, muy cuidadosamente. Es un reino importante, pero es un reino peligroso. Y debe ser caminado en templanza y debe equilibrarse con la Palabra de Dios.

En Juan 16:12 Jesús dijo, "Aún tengo muchas cosas que decirles, mas ahora no las puede llevar." Jesús únicamente habló como condujo el Espíritu. Esto no es adivinación del pensamiento, o el pronosticar de suerte. Es un reino de hablar una palabra divina de Dios quien sabe todo y ve todo. Y cuando el Señor da usted una palabra de fe, retengalo, y no deja nada o nadie tomar aquella palabra de fe de usted.

Yo he recibido muchas palabras de fe que no he visto venir para pasar igualado después de varios años, pero los retengo porque ellas sucederán. Usted tiene que proclamar la mismo declaración de fe: "¡Sucederá!"

La palabra de sabiduría por otra parte es una palabra que concierne que hacer de una situación que podría ser revelado. Muchas veces la palabra de saabiduría equilibra la operación de la palabra de conocimiento. Hay veces en servicios cuando Dios me dará una palabra sobre una persona. Si le miro y no veo fe en los ojos de esa persona (porque los ojos son la ventana del alma) yo sé que esa persona no puede sostener o recibir la palabra. Por lo tanto no camino fuera y hablar la palabra. Para esperar sobre la palabra de sabiduría para dar dirección con respecto a cuando hablar una palabra de conocimiento es lo más segura. La mayoría de conocimiento es para la información de uno propio, de todos modos. Como he dicho antes, 95 por ciento de lo que Dios habla no es nunca realmente revelado o mostrado.

El balance de la palabra de sabiduría es *paz*. Cuando paz alcanza-paz que mueve por el poder del Santo Espíritu-eso es cuando yo sé que el Señor quiere que yo de una palabra de conocimiento o una palabra de sabiduría.

Un ejemplo bueno de la cooperación de la palabra de sabiduría y la palabra de conocimiento en la misma la situación está en Los Hechos 27 cuando, durante el viaje de Pablo, la tormenta Euroclydon golpió. En versículo 24, Pablo contó á los otros en el nave que el ángel le dijo, "Pablo, no temas: es menester que seas presentado delante de Caesar: y, he aquí, Dios te ha dado todos los que navegan contigo. " Entonces, él contó sus comaradas, "Por tanto, varones, ten buen ánimo: porque confío en Dios, que será así como me ha dicho. Si bien es menester que demos en una isla." (versículos 25-26) Aquella palabra no vino por conocimiento natural pero por una palabra de conocimiento de Dios.

Sin embargo, versículos 30-31 dicen,

> Entonces procurando los marineros huir de la nave, echado que hubieron el esquife á la mar, aparentando como que querían largar las anclas de proa, Pavlo dijo al centurión y á los soldados, si no quedan estos en la nave, ustedes no pueden ser salvados.

Este es un ejemplo de la palabra de sabiduría-lo que hacer sobre una situación revelada.

Por ejemplo, han sido veces cuando Dios ha relevado a alguien, mediante una palabra de conocimiento por mí, la palabra "finca." Entonces el Señor hablará entonces una palabra que concierne el desarrollo de finca. Desconocido a mí, la persona con quien hablo está en el medio de hacer una decisión en finca. Aquella revelación es una palabra de conocimiento. Entonces Dios puede dar una palabra además por decir, "Hace nada al momento. No es la voluntad de Dios," o"Espera Dios y Él abrirá una puerta mejor." Eso es una palabra de la sabiduría o comprensión sobre qué hacer de la situación revelada. La única cosa de no hacer cuando usted recibe una palabra de Dios es tratar de hacer la palabra venir a pasar. Si es verdaderamente una palabra de Dios, se tomará cuidado de sí mismo. Atestará de sí mismo.

La paz de Dios juega un papel importante en su recibiendo una palabra del Señor. Hay dos pruebas básicas para contar si una palabra es precisa o no del Señor. El primero es que atestará con el *Logos,* la Palabra escrita de Dios. Segundo, atestará con el *Rhema*, la Palabra hablada de Dios.

Recuerda, el asunto principal que Dios desea de usted es una caminata cercana y íntima con Él. El tolerará nada menos. El ministerio de un profeta es ser una voz especial para dar atestación, confirmación, y testimonio a lo que el Señor ha hablado en Su voz quieta y pequeña. El ministerio es nunca a ser un reposición de nuestro deber personal de ayunar y orar para sensibilidad oír la voz de Dios. El primero y más eminente medio de comunicación con Su gente es Su voz quieta y pequeña.

Dios es un Dios celoso. El no tolerará nada o nadie viniendo entre Él y nuestro relación íntimo con El. Es Su voluntad que la iglesia ten la mente de Cristo compartir en los misterios de Dios. Y muchas veces sentimos que una palabra ha "faltada." Una vez más voy a enfatizar que el profeta es una voz especial a dar atestación, confirmación, y testimonio a lo que el Señor ya ha hablado mediante la voz quieta y pequeña. Lo que un individuo ha sentido en su espíritu por oración debe ser confirmado. Pero este ministerio nunca trae addiciones o substracciones al Logos o la Palabra escrita de Dios. Se únicamente confirma e ilumina la Palabra de Dios.

En II Corintios 13:1 Pablo dijo, "Este es la tercera vez voy á ustedes. En la boca de dos o tres consistirá todo negocio." Pablo también dijo de no menospreciar profecías y examinar todo. (I Tesalonicenses 5:20-21) El reino de dones en palabras proféticas reparte con el pasado, el presente y el futuro. No podemos aplicar o interpretar profecía o intentar de descifrarlo.

Por ejemplo, la venida de Cristo fue profetizado a lo largo del Viejo Testamento. Oséas 11:1 dice, "Cuando Israel era muchacho, yo lo amé, y de Egipto llamé á mi hijo." hablando del Mesías viniendo de Egipto. En Isaías 9:1 se registra que aparentemente Cristo vendría de Galiléo. En Miqueas 5:2 es profetizado que Él vendría de Bethlehem.

Pues, ahora si usted miraría estas tres profecías pensaría que todos ellos contradigan uno al otro. O podría pensar que cuando Jesús nació en Bethlehem, probó que Isaías y

Oséas habían "faltados." Sin embargo, encontramos que todas estas palabras fueron en realidad hecho a lo largo de la vida de Cristo.

En Mateo 2:15, Jesús se estaba forzado en Egipto a causa de la cólera de Herodes, así cumpliendo la profecía de Oséas. En Mateo 4:13, Jesús salió de Nazaret para vivir en Capernaum, cumpliendo la profecía de Isaías. Y Miqueas 5:2 era cumplido en Mateo 2:5 cuando Jesús nació en Bethlehem.

En I Corintios 14:29 Pablo dio una admonición muy importante: "Asimismo, los profetas hablen dos ó tres, y los demas juzguen." Como Rev. James Kilgore, ha dicho tantas veces, "Juzga la profecía, no la persona."

Muchas veces somos demasiado rápidos a juzgar hombres quienes caminan en el reino de Los Dones de Saber. Debemos comprender que Dios trabaja para la eternidad. El enemigo trabaja para el aquí y ahora con tácticas de presión, pero Dios trabaja para la eternidad. Si algo esverdaderamente de Dios, llevará atestación y se traerá sí mismo a nacimiento. La voluntad de Dios únicamente consigue más fuerte con tiempo.

Cuando recibiendo una palabra, haz nada diferente que usted había planificado a hacer desde el principio a menos que específicamente instruido en la Palabra á hacerlo. La Palabra puede llevar sí mismo. Una vez que la Palabra ha pasado sus dos pruebas, la Palabra escrita y la Palabra hablada, entonces debe pasar la prueba de la voluntad de Dios, ambos el general y el específico. Romanos 12:2 habla de la buena voluntad de Dios, agradable y perfecta." Estos son las tres etapas de la voluntad de Dios; deberíamos encontrar y buscar Su voluntad perfecta. La paz de Dios juega un papel importante en encontrar la voluntad perfecta de Dios. La regla aquí es esperar el Señor.

Finalmente, cuando la Palabra ha pasado las pruebas de Su Palabra escrita, Su Palabra hablada, y Su voluntad general y específico, entonces deja que Dios tenga Su manera. El tiene la oportunidad y El tiene Sus propios métodos.

He encontrado también que Dios siempre trabaja debajo el

principio de autoridad. Dios nunca desviará las autoridades que él le ha puesto usted debajo. A veces profecía puede ser cierto a la Palabra de Dios, y ponerse en fila con lo que sentimos en oración, pero la ruta para tomar o el proceso de tiempo para el cumplimiento es incierto. La mayoría de la voluntad de Dios es salido día por día como Dios lo revela. La voluntad perfecta de Dios es entrejado en nuestra vida cotidiana. Yo la veo como un proyector de luz concentrada que únicamente brilla cinco pies alrededor usted. Lo más que usted quiere caminar, ver, lo más usted debe caminar por fe. Usted tiene continuar tomando pasos en el reino Espíritual. Lo más tiempo que conocemos á Dios y lo más íntimamente estamos al corriente de Él, lo más fácil es reconocer y comprender Su voz y a responder.

No equivoca la voz quieta y pequeña de Dios para comunión con usted sólo, con cuando Él está dando una palabra a usted para dar a otro. Es único por mucha oración, ayuno y tiempo gastado con Dios en que podemos encontrar aquella balance delicada. Deuteronomio 18:22 habla de él quien habla una palabra vanidosamente o fuera de su propio espíritu: "Cuando el profeta hablare en nombre de Jehová, y no fuere la tal cosa, ni viniere, a es palabra que Jehová no ha hablado: con soberbía la habló aquel profeta...."

La voz del profeta se necesita desesperadamente en este día porque el Señor está preparado para Él una iglesia. El Novio viene, y los profetas que son cercas á la corazón de Dios ayudan purgar y purificar la novia. El último de los Dones de Saber es el discernir de espíritus. Mucha gente malinterpreten este como el espíritu de discernimiento. Cuando lo que la gente podría pensar es un "espíritu de discernimiento" es realmente un "espíritu de sospecha." El discerniendo de espíritus es ser capaz de discernir de cual espíritu es una persona, o de cual espíritu es una voz que usted oye.

Hay cinco voces básicas en este mundo: La voz de Dios, la voz del espíritu humano, la voz del carne carnal, voces demoníacas, y voces angélicas. Usted puede darse consejo que puede parecer razonable, pero usted debe discernir el espíritu que está detrás. En Josué 9:14, una gran derrota vino porque los hombres de Israel tomaron provisiones del enemigo sin pedir consejo del Señor. Ellos faltaron a discernir el espíritu de esos que estaban en su medio.

Yo probablemente opero mayormente con el discernir de espíritus, silenciosamente. No importa lo que una persona dice con la boca, o qué tipo de expresión tiene en la cara, su espíritu siempre se muestra. Cuando usted opera en discernir de espíritus y el don está fluyendo y operando, págalo atención, porque Dios no lo puso allí simplemente para observación.

El don de discernir de espíritus le puede proteger usted. Muchas veces cuando reservando reuniones opero en este don a ver si el pastor quien quiere que venga es simplemente meramente curioso de la operación del espíritu, simplemente quiere "ver un milagro," o si él es verdaderamente listo para Renacimiento Apostólico. Discerniendo de espíritus es uno de los dones más poderosos que vienen en acción en las reuniones que retengo. ¡Tiempo es demasiado precioso a derrochar en esos que no son comprometido al Renacimiento Apostólico!

He encontrado que 99% del tiempo, el uso de este don es para mi propio conocimiento único, no para compartir con otro.

La fruta que balance el discernimiento de espíritus es longánimo, porque usted debe tener el amor de Dios y la paciencia del Señor a no correr y escoger peleas con el diablo. Nosotros nunca escogemos peleas con el diablo, sin embargo, cuando él viene contra nosotros es una historia diferente.

En los Hechos 16 la señorita poseyó con el espíritu de divinación siguió después de Pablo y gritó, diciendo, "Estos hombres son los sirvientes del Dios Alto, los cuales nos anuncian el camino de salvación." Pablo discernió su espíritu y supo que ella no era de Dios, pero después de muchos días Pablo llegó a ser afligido y finalmente volvió y dijo, "Te mando en el nombre de Jesucristo que salgas de ella." Longánimo es una fruta que se necesita desesperadamente para operar en el discernir de espíritus.

Simplemente porque podemos discernir los espíritus no

significa que deberíamos ir alrededor llamando la gente diablo o nada más, pero podemos guardar nuestra boca cerrada, sonreir y determinar dentro de nuestros corazones que no vamos a ser así o que no vamos a ir en la dirección donde otros van. El Señor puede ganar muchas batallas poderosas para nosotros por la operación de discernir de espíritus sin que nosotros siempre igualar hablar ni una palabra.

Si usted es un ministro joven que busca a desarrollar un ministerio en el sobrenatural y busca caminar en las obras del Espíritu Santo, ora y ayuna para la fruta de longánimo que usted podría operar mediante el discerniendo de espíritus. Llegar a ser uno de los dones más valiosos en su ministerio. Usted será capaz de contar en quien usted puede confiar, a quien usted puede abrir verdaderamente su corazón, y cuando usar el ministerio Dios ha puesto sobre usted.

Anteriormente hablé de ministerio de cindo obras en una manera muy general. Déjame estar más específico. Un apóstol es un embajador del evangelio encargado por Cristo con facultades milagrosas. Pablo fue un ejemplo bueno de un apóstol. La esctitura indica que un apóstol es uno quien coloca una fundación para una obra nueva. (Efesios 2:20). Un misionero podría llamarse un apóstol si él coloca una fundación para una obra nueva sino al hogar o en un campo extranjero. II Corintios 12:12 indica que el ministerio de un apóstol es acompañado por señales, maravillas, y milagros.

Un profeta es uno quien tiene conocimiento en cosas divinas y los habla adelante á otros, uno quien cuenta un suceso antes de que sucede, uno quien muestra o confirma el corazón de uno. Agabo es un ejemplo bueno de el profeta del siglo de la iglesia..

Y en aquellos días descendieron de Jerusalem profetas á Antioquía. Y levantándose uno de ellos llamado Agabo, daba de intender por Espíritu que había de haber una grande hambre en toda la tierra habitada: la cual hubo en tiempo de Claudio. (Los Hechos 11:27-28)

Las escrituras indican que el profeta es simplemente la boquilla de Dios. El no es usado frecuentemente como un líder, pero simplemente como una boquilla. Amós 3:7 dice, "Porque no hará nada el Señor Jehová sin que revele su secreto á sus siervos los profetas."

Mucha gente falsamente sostienen que el ministerio del profeta terminó con el Viejo Testamento. Los Hechos 13:1 simplemente prueba que este no es cierto. Hablando de un tiempo muchos días, quizás igualar años, después del día de Pentecostés, dice, "Había entonces en la iglesia que estaba en a Antioquía profetas ciertos...." También, Efesios 3:3 nos cuenta,

A saber que por revelación me fué declarando el misterio ...el cual en el otros siglos no se dió conocer los hijos de los hombres como ahora es revelado á sus santos apóstoles y profetas santos en el Espíritu.

Sí, el Espíritu Santo todavía revela Sí mismo en este día y tiempo.

Quiero pausar aquí para decir que el ministerio de un profeta es siempre sujeto a la autoridad de sus mayores y su pastor. En las escrituras del Nuevo Testamento nunca hay un ejemplo donde los profetas condujeron en la iglesia o tuvo la autoridad para hacer decisiones. I Timoteo 5:17 nos cuenta que los mayores de la iglesia son los que mandan. En los Hechos 15 había una disputa en la iglesia en lo que concierne la posición de los conviertos Gentiles. Versículo 32 dice, "Judas también y Silas, como ellos también eran profetas,consolaron y confirmaron los hermanos con abundancia de palabras." Pero eran los mayores de la iglesia y los pastores que hicieron las decisiones con autoridad.

Luego es la oficina de un evangelista, quien es un predicador del evangelio. Los Hechos 21:8 indica que Felipe era un evangelista. Un evangelista es uno quien evangeliza con el evangelio de salvación, aunque es alguien quien evangeliza un barrio, una escuela, un trabajo, o una ciudad. Muchas veces Dios llamará un hombre en una oficina que tal vez no es su oficina perfecta, pero uno en que él puede permanecer. Timoteo era un el pastor, pero en II Timoteo 4:5 Pablo le contó,"Haz la obra de evangelista."

Entonces tiene la oficina de un clérgico, un pastor y un director. Los Hechos20:28 menciona el director de la iglesia de Dios. Apocalipsis 2:1explica que los pastores pueden discernir ministros falsos en el rebaña. Timoteo fue un ejemplo perfecto de un pastor.

También tiene un profesor o instructor. Los Hechos 13:1 nos muestra otra vez que había muchos profesores en la primera iglesia. Dios nos pondrá en el llamamiento perfecto para nosotros, basado en cuántos almas podemos alcanzar en aquel llamamiento.

Así como las cinco plumas de rabo de la águila la ayudan en dirigir su vuelo, el ministerio de cinco obras está allí a ayudar dirijir y fortalecer la iglesia.

En el ministerio que el Señor me ha dado, he aprendido señales que Dios me da a dejarme saber cuando Él quiere que yo ministro una palabra o a revelar una palabra a una persona. El balance es la llave necesario a suceder en este reino. Para todos nueve dones operar, Dios me ha enseñado a sentir y reconocer cuando Él quiere operar en una manera cierta en un servicio. Esto puede ser incluido como un señal, maravilla, y milagro. Un corazón limpio y puro el corazón es necesario para reconocer la voz de Dios. Debemos confesar la sangre de Jesús contra cualquier espíritu de decepción y contra el reino de obscuridad que trata de entremeter.

Muchas veces antes de un servicio siento una carga-un converscimiento-simplemente sollozo. Cuando eso pasa, el el mensaje de la Palabra esa noche es usualmente uno de alcanzar para almas. Otras veces, mientras preparar para un vespertino, sentiré una paz, pero no realmente tendré una dirección definitiva para un sermón. Pero eso es una señal a mí que el Señor quiere operar en una palabra de sabiduría, palabra de conocimiento, el discernimiento de espíritus, o quizás igualar profecía.

Ahora la señal para la operación del don de fe, la obra de milagros y frecuentemente los dones de sanar (que cubriré en forma detallada luego) es una intensidad que el siervo siente en su espíritu un exitación entregado incendiendo como un incendio. Esta es una señal lo dejándolo saber que habrá ser milagros en el servicio esa noche.

La gente insegura son intimidadas por gente y cosas que no pueden controlar. Tan largo como un pastor inseguro puede tomar su pulgar sobre todo en su servicio, él puede sentir seguro. Pero si él no deja que el Espíritu tiene control, el Espíritu no tendrá libertad y los dones no operarán según la voluntad del Señor.

II Corintios 3:17 nos cuenta, "Porque el Señor es el Espíritu: y donde hay el Espíritu del Señor allí hay libertad." Esa escritura en el original, significa, "Donde el Espíritu se está hecho Señor, hay libertad." Tendemos a hacer muchas cosas el Señor de nuestras vidas y servicios. Debemos volver a la manera de la águila y dejar el Espíritu tomar control y simplemente ir con la corriente de Su Espíritu.

Cuando un joven ministeio-o, en cuanto a eso, un ministerio más viejo-quien no ha sido entrenado adecuadamente en la comprensión de la operación de los dones del Espíritu y en el balance, él puede dar paso imprudentemente, ocasionando dolor y confusión. Esto únicamente predispondrá pastores en contra de la operación del Espíritu y criar temer en sus corazones. Siendo sometido a la autoridad es tan importante-no simplemente una autoridad pero muchas autoridades. He sometido mi vida a por lo menos siete autoridades que me velan. Para mi protección, trazo mi curso por cualquier ellos dicen. No podemos vivir sin nuestras autoridades.

No permite un pastor destruir su espíritu de querer mover en la operación del Espíritu Santo, en los dones o en la oficina en que Dios le ha llamado. Además, usted debe aprender permitir el don de discernir de espíritus a operar cuando usted está arreglando reuniones. Usted debe ser sensible a discirnir el espíritu del pastor a ver si él verdaderamente será abierto a su ministerio, si él dará usted la libertad , si él recibirá usted con amor, y trabajar con usted, o si él es simplemente curioso, si peleará usted, o iguala si él irá tan lejos como ponerse en una posición a hacer daño á usted. Ministra solamente donde usted está recibido. Esta cosa únicamente trabaja con el hambriento. No tiene que decir á la gente hambrienta cuando comer. No tiene que pedirlos; simplemente ponerlo en frente de ellos y lo comerán.

Los tres requisitos previos para la operación del ministerio de un profeta ser recibido son primero instrucción, segundo, vivir sólido, rígido y honrado, y tercero y lo más importante, la responsabilidad debajo la autoridad. Siendo responsable es la única manera para aprender cuando usted ha hecho un error en operar en los Dones de Saber y como corregirlo. No tienen miedo de esos arriba de usted decir, "Lo ha extrañado." Simplemente responde con, "Aprenderé, oraré y ayunaré, y encontraré donde he extrañado la voz de Dios." Eso es donde el balance entra.

No se consiguen cogidos en la presión de ejecución donde usted siente que debe dar paso y dar una palabra. Si el Señor simplemente habla á usted de predicar la Palabra, simplemente predica la Palabra. Si el Señor simplemente habla con usted de orar para los enfermos, simplemente orar para los enfermos. Hay nueve dones que operan. No se consiga cogido en ejecución o tratar de producir algo debajo la presión que será presentable a la gente y no al Espíritu Santo.

Esto es por qué es mejor a desarrollar un ministerio en los antecedentes, en pequeños frentes de tiendas y situaciones pequeñas donde usted puede aprender y crecer y perfeccionar el don que Dios tiene fluyendo mediante usted. Pablo dijo, "Por razón de uso" (Hebreos 5:14), significando por hábito, por trabajar con el. Muchos ministros han destruido sus ministerios porque no colocaron primero la fundación necesario para desarrollar la operación de la oficina en que Dios los ha llamado. Asentan por algo menos debajo la presión de compañero de hombres y la persecución de infierno sí mismo. Mi ministerio desarrolló sobre el curso de muchos, muchos años, en el principio en frentes de tiendas y las iglesias de misión de hogar. Eso es donde autoridad es dado. Pero recuerda, no importa cuan fluido su operación es, el ministerio de un profeta no será recibido por todas partes para los razones siguientes:

1. La ignorancia o malentedimiento de como el don o el ministerio opera.
2. El temer de un pastor que algo conseguirá fuera de control.
3. El temer de una persona que el profeta lo lastimará por inmaturamente o insensitivamente hablar una palabra revelada para tratar de hacer muesca de puntas para sí mismo.
4. El pecado en la vida de una persona quien se recae en su corazón y que no quiere un movimiento de Dios que limpia el alma.

Dios bendecirá una iglesia y dará un renacimiento de milagros, señales, y portentos iguala cuando hay pecadores sentados en el banco de iglesia. Pero Él rehusa bendecir y operar donde hay pecado en el liderazgo. Unicamente-para-precio los ministros caminaría adelante y trabajar por el poder de la Palabra y la fe de la gente en tal situación.

Un pastor quien es sensible a Dios naturalmente no querrá el ministro en su propio púlpito si el Espíritu lo cuenta que uno de los líderes de la iglesia vive en adulterio. Triste para decir, muchos pastores y iglesias están interesado únicamente en sensacionalismo hiper y buscan ministerios que únicamente pueden entretener desde el púlpito.

Yo recuerdo un tiempo cuando fui ministrando en una iglesia y Dios me mostró que el líder de canción era viviendo en adulterio, y parejo con quien vivía en el adulterio. Cuando fui hasta el pastor y le dije lo que Dios había revelados por la palabra de conocimiento, él ridiculizó, mofó, y me averguenzó, diciendo, "Muchacho, aquel líder de canción conducía canciones mientras que su mamá cambiaba sus pañales." Con lágrimas corriendo por mi cara, expliqué al pastor que no había ninguna manera que podría ministrar en su púlpito si él rehusado repartir con este pecado. Pues, efectivamente el pastor simplemente despidió el renacimiento. La última palabra que hablé al pastor fue, "Porqueusted ha elegido esto, cuando se está revelado, causará mucha división y mucho dolor." Tres meses luego recibí una llamada telefónica. Fue el pastor llorando y pidiendome a regresar porque, sí, el hombre se había cogido en flagrante de adulterio. Su inmoralidad causó división en la iglesia y siete familias dejaron la iglesia.

Debemos entrar la dimensión de Su Palabrapor oración y ayuno, claramente escuchando para Su voz quieta y pequeña. Debemos ser sensibles de no correr sobre el Espíritu o sentir la presión a desempeñar. David dijo, "Detén asimismo á tu siervo de las soberbias; que no se enseñoreen de mí..." (Salmo 19:13). La palabra de sabiduría muchas veces da la dirección para dar una palabra de conocimiento. No tenemos nada a probar pero nuestro amor y dedicación a Jesús.

Un ministerio no debería ser establecido construir por un milagro ni derrumbado por una palabra "faltada"; Jesús es el uno quien consigue toda la gloria. Cuando una persona intenta de operar como Dios le conduje en los Dones de Saber, él debe asegurarse que la palabra no sea fuera de su propio deseo para aquella persona. Lo qué está dicho deber ser directamente lo que estaba revelado por el Espíritu, y el Espíritu lo debe dirigirle decirlo. Debemos equiparnos con todo lo que Dios nos ha dado a nosotros para ver este mundo alcanzado y verdaderamente afectado antes de que Él viene.

LOS DONES DE PODER

Mucha gente preguntan, "¿Cómo sebe que usted cuando un don está operando?" Quiero contestar este como discuto los últimos tres dones, los Dones de Poder: el don de fe, los dones de sanar, y obrando de milagros. Cuando estos regalos operan no hay mucho que usted puede ver en el reino natural. Tiene que saber en el reino de Espíritu que están operando. Dios es la fuente de todos dones, y debemos operar con Su carácter y compasión.

Esto puede ser asemejado con tocino que fríe en una cazuela. El tocino dará un olor que usted puede sentir con su olfato natural. Puede mirar en la cazuela y ver el tocino con sus ojos como usted huele su aroma. A aquel punto, el olor de tocino se imprime sobre su memoria natural y mente. Desde ese tiempo, a cualquier hora usted huele aquel olor, usted reconocerá que es tocino. Usted no tendrá que ver el tocino para saber que tocino fríe.

Es el mismo con la operación de los Dones de Poder. Este reino parece ser muchos lo más evasivo porque de la fruta que se necesita equilibrar cada regalo. El don de fe es equilibrado por *docilidad*. Docilidad es simplemente reconocer la fuente de donde viene el don de fe. El don de fe es uno de lo más poderosos porque los ojos de los ciegos se abren, los oídos sordos son abiertos, muertos son levantados, caminan los inválidas y cosas pasan poderosamente en este reino. Usted puede obtener resultados más sobrenaturales mediante la operación del don de fe que mediante cualquier otro don.

En Números 12:1 María y Aarón hablaron contra Moisés, y docilidad fue observado en Moisés a causa de su respuesta evidente o la falta de eso. El tuvo el comprendiendo quieto que Dios fue el uno quien lo llamó, que había nada a probar, y que Dios fue su fuente. La docilidad no es abatimiento, pero es saber que Dios peleará nuestras batallas para nosotros. El propósito único del ataque sobre Moisés fue para distraer y romper su foco, pero el versículo 3 dice que "...Moisés era muy manso, más que todos los hombres que había sobre la tierra."

El don de fe puede definirse como la fe de Dios dada a

nosotros o Dios en nosotros haciendo el creyendo. El mundo busca poder y autoridad á mandar y controlar, pero Jesús nos dice usar Su poder y autoridad para servir y ministrar con toda humildad y docilidad. Mateo 20:28 dice, "Como el Hijo del hombre no vino para ser servido, sino para servir, y para dar su vida en rescate por muchos."

Hay muchos ejemplos escriturales del con de fe en operación, incluyendo uno excelente en Hechos 9:36-39. Una mujer llamada Tabita, que para interpretación se llamaba Dorcas, había muerto, y esos quienes lamentaron para ella enviaron para Pedro. Cuando él vino lo trajeron en la cámara alta. Todas las viudas se pararon por él llorando, y le mostraron los vestidos que Dorcashabía hecho mientras ella estaba con ellas. Versículo 40 dice que "Echados fuera todos, Pedro, puesto de rodillos, oró."

Yo creo que hay un tiempo en la operación del don de fe cuando debemos tomar todas las dudas, temer, y cualquier otra cosa que trataría de impedir la operación de fe y ponerlos fuera de nuestra mente, y pareja de nuestra presencia. Quizás no podemos poner la gente fuera de un servicio, pero podemos rodear la persona en necesidad con único esos quienes creen y quienes operan en fe.

Debemos dar cuenta que cuando oramos la oración de fe sobre el enfermo, morboso, y afligidos que deber ser seguro que transmitamos fe, no nuestras temeres, dudas o lástimas. Milagros ciertos únicamente ocurren en la atmósfera de fe. Si queremos resultades de Dios, debemos orar hasta que hemos cruzado hasta la dimensión de Su Espíritu, en la presencia de Dios donde realizamos las limitaciones de nuestra fe propia y llegamos a ser disponible para la operación del don de fe. Cuando escogemos permanecer comprometido a este reino terrestre mediante dudas y temer, recibimos nada de Dios. El don de fe únicamente opera en la atmósfera de confianza completa en Dios. ¡*Tenemos que* llegar a ser disponible para esta dimensión de la operación del donde fe!

Cuando Pedro oró, él cruzó hasta la dimensión donde él

reconoció sus incapacidades y volvió disponible para la gran capacidad de Dios. El volvió al cuerpo y dijo, "Tabita, levántate." Dorcas entonces abrió los ojos, y viendo á Pedro, encorporóse.

Este es un ejemplo directo del don de fe operanso mediante el hombre de Dios quien estuvo en autoridad espiritual. Milagros instantáneos pueden pasar cuando hemos hechos nosotros mismos disponible para la operación del don de fe.

En Lucas 17:14, cuando Jesús sanó los diez hombres leprosos, Él habló a ellos y dijo, "Vaya, muestra ustedes mismos á los sacerdotes." Vino a pasar, que como ellos fueron, se limpiaron. Este es un ejemplo de la operación de los dones de sanar. Los dones de sanar son restauraciones progresivas y graduales de Dios en ambos el cuerpo físico y espiritual.

Muchas veces discerniendo de espíritus trabajará mano-en-mano con dones de sanar a revelar si la enfermedad es causado por un espíritu. Por ejemplo Lucas 13:11 dice, "Y he aquí, una mujer que tenía un espíritu de enfermedad dieciocho años, y andaba agobiada, que en ninguna manera se podía anhestar." Muchas veces, cáncer está causado por un espíritu de cáncer. Requiere varios de los dones en operación: discerniendo de espíritus para revelar el espíritu, el regalo de fe para echar fuera el espíritu, y los dones de sanar para restaurar el tejido dañado.

Note el plural: *los dones* de sanar, indicando que muchas veces Dios operará en un área cierto de sanar más frecuentemente en un ministro que en un otro. Por ejemplo, en mi ministerio, los dones de sanar más frecuentemente usado han sidos para daños del cuello, daños de la espalda, dolor crónico, tumores, y las mujeres quienes son yermas y desean niños.

La fruta que equilibra los dones de sanar es *amor*. Por toda parte el ministerio de Jesús, amar y compasión siempre precedieron un sanando. "Y saliendo Jesús, vió una gran multitud, y se movió con compasión de ellos, y sanó á kis qye de ekkis gabía enfermos." (Mateo 14:14). "Y Jesús, se movió con compasión, extendió su mano, y le tocó, y le dice: Quiero, se limpió." (Marcos 1:41). En Juan 11:35, "Y lloró Jesús." no porque Lázaro era muerto, pero a causa de la compasión que El sintió.

Frecuentemente derramo cuando debajo la operación de los dones de sanar porque veo la necesidad tremenda presentada y porque yo sé que es el poder del Nombre que hace el sanando. Cuando quedamos en la presencia de Su poder de sanar, sentiremos la compasión que Él sintió.

La obra de milagros es el final de los tres Dones de Poder. La obra de milagros es una obra instantáneo de Dios que supercede capacidad humana para encontrarse con necesidades y realizar que no lo puede ser hecho por los métodos humanos y normales. Esta es la mano invisible de Dios siendo revelado en los asuntos de hombre.

Muchas veces, señales y portentos se incluyen en las obras de milagros. El obrando de milagros es puesto en moción cuando el "barril e harina" es vacío y somos se encarados con los hechos de dolor, aflicción, y la imposibilidad. Uno no puede hacer el imposibles hasta que él vea el invisible. No es hasta que hayamos agotado cada avenida humana que un milagro ocurra.

La fruta que equilibra la obra de milagros en *bondad.* Debemos operar en este don fuera de la bondad de nuestro corazónpara ministrar y verdaderamente ayudar gente, simplemente porque les amamos y queremos ser una vasija en que el gran poder de Dios puede fluir. La fruta de bondad no permitirá alguien malusar el obrando de milagros para construir su reino propio, su nombre propio, o su reputación propio.

Muchas veces el don de fe trabaja junto con el trabajo de milagros. La respuesta a estos dos dones será instantáneo, considerando los dones de sanar se encontrarán con una restauración lenta que comienza al momento una palabra está hablado en su operación.

Recientemente vi dos ejemplos primarios de estas operaciones. En un servicio de tarde, el Señor llamó fuera un caballero en el gentío y él vino delantero. El Señor entonces reveló, por una palabra de conocimiento, que él tuvo cicatrices cruzando su corazón. La palabra hablada a él por el poder del Espíritu Santo fue, "¡Dios está dando usted, esta tarde, un corazón nuevo!" Después del servicio este hombre vino y testificó, "Yo sé que usted no sabe esto, pero recientemente tuve la cirugía cuádrupla de desviación, y he sido dejado con un corazón casi incapacitado. También sufro con angina severo." Este hombre no podía siquiera recoger o llevar una Biblia por causa del dolor y debilidaden su pecho y brazos. En el pasado él había tratado de rastrillar en su jardín con un rastrillo lígero de hoja, pero después de unos momentos tuvo que parar rastrillando a causa del dolor.

El volvió al próximo servicio de renacimiento con un resplandor sobre su cara y un informe de alabanza de lo que Dios había ejecutado. El había tenido un examen, y su doctor lo contó, "Tengo grandes noticias para usted. Su corazón es 100% mejor." Aquel tarde él salió a su jardín y por tres horas, usando un rastrillo de jardín tieso, rastrilló hierbas y pasto sin un problema con su pecho o brazos. Dos días luego, había una amenaza de bomba a la escuela donde él trabajó. Todos los niños se evacuaron al campo de fútbol. Él estaba instruido entrar la escuela otra vez para recobrar todas las bolsas de espalda de los estudiantes abultos. El me contó que salió de la escuela con cincuenta libras de bolsas de espalda sobre ambos brazos, llevándolos sin problema. Esto era el mismo hombre quien, cinco días anterior ¡no podría ni recobrar su Biblia propia! Este es un ejemplo del operación instantánea del don de fe y el obrando de milagros.

En la misma serie de servicios, una dama joven vino delantera para ser orado para que tenía crecimientos en su garganta. Estos crecimientos la impidieron de cantar en el coro, lo que ella amaba a hacer. Ellos también la ocasionaron un dolor intensivo. Se oraron para ella en el nombre de Jesús, pero al ojo natural, nada sucedió. Sin embargo, una palabra fue hablado a ella que se estaba tocado y a regocijar en su milagro.

Tres semanas luego, volví de una cruzada en el extranjero á la misma iglesia. Esta dama joven me acercó con un resplandor de regocijo sobre su cara e informó que, uno por uno, Dios totalmente sanó los crecimientos en su garganta.

La águila está conocido para su cuidado amando y la defensa fiera de sus pequeñitos. El cazador debe primero matar la madre y padre antes de que él puede tocar los jóvenes, pero cuando una águila está en su lugar apropiado en su nido construido alto, es fuera de alcanza de todos.

Si escogemos la manera de la águila, nosotros sentaremos en lugares celestiales con Cristo y ser fuera del alcance de los dardos de fuego del malvado, y ser disponible para la operación de estos dones hermosos. En lugares celestiales usted hará usted mismo de ninguna reputación y tomar sobre usted mismo la forma de un sirviente, así como lo hizo Jesús. En esta dimensión usted es un "hombre muerto, " y los hombres muertos no sienten dolor. Jesús nunca demandió que alguien construir Su reputación, aun cuando Su declaración de gobernar con doce tronos sobre las tribus de Israel aparentemente no vino a pasar (Mateo 19:28). El no dominó la autoridad del Espíritu, pero sometió Sí mismo a la muerte de la cruz, que nosotros podríamos obtener sanando por el poder de Su sangre. Cuando nos sometemos a la autoridad de Su Espíritu, y no somos concernidos con nuestra reputación propia, entonces podemos estar usado en la operación de los dones.

Cuando escogemos la manera de la águila y nos sometemos a Dios por ayunar, orar, ganar de almas, y la operación de la Palabra y los dones del Espíritu, entraremos en la dimensión grande del sobrenatural y remontar como una águila en lugares celestiales con Él.

Para más información de otros libros y cintas por John Arcovio, o para reordenar La Manera de la Aguila, por favor escriba o llame:

Spirit Led Ministries
5305 Pinecrest Ct.
Eureka, CA 95503
(707) 480-9188

La Manera de la Aguila: $7.00 cada uno (por favor agregue $2.00 para el franqueo y manipulación)

Piensa Desde Arriba, una serie de ocho libros sobre la Operación de los Dones del Aliente: $30.00 (por favor agregar $5.00 para el franqueo y manipulación)

Haga cheques pagables á : Spirit Led Ministries.